L'ESPAGNOL POUR MIEUX VOYAGER EN AMÉRIQUE LATINE

Table des matières

Table des matières

**Recherche
et rédaction**
Claude-Victor Langlois

Adjointes à l'édition
Julie Brodeur,
Annie Gilbert

Traduction
Ana Mercedes Luis

Correction
Pierre Daveluy,
Gilberto D'Escoubet Fernandez,
Luis Eduardo Arguedas

Rédaction des encadrés
Julián Felipe Tinoco Fuentes,
Kim Paradis,
Françoise Roy

Conception graphique
Bryan-K. Lamonde,
Atelier Louis-Charles Lasnier

Mise en page
Pascal Biet

Photographies
© iStockphoto.com / MBPHOTO (Page couverture), © Patrick Escudero (p.12),
© iStockphoto.com / Danny Warren (p.34), © Dreamstime.com/Dmires (p.74),
© iStockphoto.com / Steven Miric (p.90), © iStockphoto.com (p.144),
© Dreamstime.com / Santiago Cornejo (p.154)

Cet ouvrage a été réalisé sous la direction d'Olivier Gougeon.

Remerciements
Guides de voyage Ulysse reconnaît l'aide financière du gouvernement du Canada par l'entremise du Programme d'aide au développement de l'industrie de l'édition (PADIÉ) pour ses activités d'édition. / Guides de voyage Ulysse tient également à remercier le gouvernement du Québec – Programme de crédit d'impôt pour l'édition de livres – Gestion SODEC. /

Guides de voyage Ulysse est membre de l'Association nationale des éditeurs de livres.

Catalogage avant publication de Bibliothèque et Archives nationales du Québec et Bibliothèque et Archives Canada
    Vedette principale au titre : L'espagnol pour mieux voyager en Amérique latine
    4e éd. (Guide de conversation pour le voyage)
    Comprend un index.
    Pour les voyageurs francophones.
    Textes en français et en espagnol.
    ISBN 978-2-89464-910-7
    1. Espagnol (Langue) - Vocabulaires et manuels de conversation français. I. Collection.
    PC4121.E86 2009   468.3'441   C2008-942317-8

© Guides de voyage Ulysse inc.
Tous droits réservés
Bibliothèque et Archives nationales du Québec
Dépôt légal – Deuxième trimestre 2009
ISBN 978-2-89464-910-7 (version imprimée)
ISBN 978-1-89467-655-7 (version numérique)
Imprimé au Canada

INTRODUCTION

L'ESPAGNOL EN AMÉRIQUE LATINE
EL ESPAÑOL EN AMÉRICA LATINA

L'espagnol qu'on parle en Amérique diffère de celui parlé en Espagne. Nous trouverons donc en Amérique des phénomènes linguistiques qui sont propres à cette région; parmi ces phénomènes, les plus importants sont les suivants:

Le *seseo*: les consonnes *c*, *z* et *s* sont prononcées comme *s*.

Le *yeísme*: les consonnes *y* et *ll* sont nivelées, donnant un seul son, et se prononcent comme *y*.

Confusion entre *r* et *l*.

Certaines consonnes comme le *d* sont muettes en fin de syllabe et le *s* peut être aspiré ou non prononcé:

  [dedo] [deo]

  [desde] [déhde] [dede]

  [pasas] [pasah] [pasa]

Les **archaïsmes:** des mots qui ne s'utilisent plus en Espagne comme *lindo* pour *hermoso* (beau), *prieto* pour *negro* (noir), etc.

Les **américanismes**: des mots indigènes, tels que *guagua*, qui peuvent avoir différentes significations selon le pays.

Guagua: autobus (Cuba et République dominicaine), bébé (au Mexique)

Le *voseo* : l'usage systématique du pronom *vos* (et des formes verbales correspondantes) dans le traitement de la deuxième personne du singulier : *vos* (*amás*, *temés*, *partís*). Phénomène non généralisé en Amérique, le *voseo* s'utilise surtout en Argentine et en Uruguay.

PRONONCIATION

Phonèmes

/c/	Tout comme en français, le *c* est doux devant *i* et *e* et se prononce alors comme un *s* : *cerro* [séro]. Devant les autres voyelles, il est dur : *casa* [kása]. Le *c* est également dur devant les consonnes, sauf devant le *h* (voir plus bas).
/g/	De même que le *c*, le *g* est doux devant *i* et *e*, et s'exprime comme un souffle d'air qui vient du fond de la gorge : *gente* [hénte]. Devant les autres voyelles, il est dur : *golf* (se prononce comme en français). Le *g* est également dur devant les consonnes.
/ch/	Se prononce *tch*, comme dans « Tchad » : *leche* [létche]. Jusqu'en 1995, le *ch* était, tout comme le *ll*, une lettre distincte, listée séparément dans les dictionnaires et dans l'annuaire du téléphone.
/h/	Ne se prononce pas : *hora* [óra].
/j/	Se prononce comme le *h* sonore de « hop ».
/ll/	Se prononce comme le *y* de « yen » : *llamar* [yamar]. Dans certaines régions, par exemple le centre de la Colombie, *ll* se prononce comme le *j* de « jujube » (Medellín se prononce « Medejin »). Jusqu'en 1995, il s'agissait d'une lettre, listée séparément dans les dictionnaires et dans l'annuaire de téléphone.
/ñ/	Se prononce comme le **gn** de « beigne » : *señora* [segnóra].
/r/	Plus roulé et moins guttural qu'en français.
/s/	Se prononce toujours comme le *s* de « singe » : casa [kása].

/v/ Se prononce comme *b* : vino [bíno].

/z/ Se prononce comme *s* : paz [páss].

Voyelles

/e/ Se prononce toujours comme un *é* : *helado* [eládo], sauf lorsqu'il précède deux consonnes, auquel cas il se prononce comme un *è* : *encontrar* [èncontrar].

/u/ Se prononce toujours comme *ou* : *cuenta* [couénta].

/y/ Se prononce généralement comme un *i* , mais cette semi-voyelle peut avoir un autre son comme dans « yen » : *playa* [playa].

Toutes les autres lettres se prononcent comme en français.

* Attention aux faux-amis ! Par leur ressemblance avec le français, certains mots peuvent porter à confusion. Par exemple, *largo* veut bien dire « long », et non « large », qui se dit *ancho*. *Embarazada* désigne une femme « enceinte » et non pas « embarrassée » ; le mot *raro* est souvent utilisé pour parler d'une chose « bizarre » et non d'une chose « rare » ! Ne vous y méprenez pas : un *gato* est bien un « chat » et non un « gâteau » ! *

TRANSCRIPTION PHONÉTIQUE

Dans ce guide de conversation, vous trouverez les mots répartis en trois colonnes, ou sur trois lignes, et ce, dans chacune des sections.

La **première colonne** donne généralement le mot en français.

Vis-à-vis, dans la **deuxième colonne**, vous trouverez sa traduction espagnole.

Finalement, la **troisième colonne** vous indiquera, grâce à une transcription phonétique, comment prononcer ce mot. Cette phonétique a été élaborée spécialement pour les francophones et se veut le plus simple possible.

Vous trouverez parfois les mots en espagnol dans la première colonne, leur traduction en français dans la deuxième et la prononciation du mot espagnol dans la troisième colonne, ceci afin de vous aider à trouver facilement la signification d'un mot lu ou entendu.

N'oubliez pas de consulter les deux **index** à la fin du guide. Le premier rassemble les mots espagnols dont il est question dans le guide et le second réunit les mots français. Vous pouvez donc toujours vous y référer.

Vous remarquerez aussi que les phrases suggérées, en plus d'être traduites en espagnol, sont aussi suivies de la transcription phonétique pour vous aider à les prononcer. Vous trouverez ci-dessous une explication de cette **phonétique**. Retenez que chaque signe se prononce comme en français. Par exemple, le signe *p* dans la phonétique se prononce comme le *p* français et réfère à la lettre *p* en espagnol; le signe *k* dans la phonétique se prononce comme le *k* français, mais peut avoir été utilisé pour le *c*, le *k* ou le *qu* espagnol.

Notez que dans les transcriptions phonétiques, nous avons ajouté un accent (') sur les voyelles des syllabes accentuées pour vous permettre de bien les identifier.

TRANSCRIPTION	LETTRE	EXEMPLE	PHONÉTIQUE
p	*p*	*par*	[pár]
b	*b*	*bar*	[bár]
	v	*vino*	[bíno]
t	*t*	*té*	[té]
d	*d*	*dar*	[dár]
g	*g*	*gana*	[gána]
k	*c*	*cama*	[káma]
	k	*kilo*	[kílo]
	qu	*queso*	[késo]
f	*f*	*fin*	[fín]
s	*s*	*sol*	[sól]
	c	*cinco*	[sínko]
	z	*izquierda*	[iskiérda]
H	*j*	*mujer*	[moúHer]
h	*g*	*gente*	[hénte]
tch	*ch*	*chico*	[tchíko]
m	*m*	*mamá*	[mamá]
n	*n*	*no*	[nó]
gn	*ñ*	*caña*	[kágna]
l	*l*	*lado*	[ládo]
r	*r*	*pero*	[péro]
r	*rr*	*perro*	[pé**r**o]
a	*a*	*está*	[está]
e	*e*	*té*	[té]
i	*i*	*sí*	[sí]
	y	*y*	[i]
o	*o*	*no*	[nó]
ou	*u*	*túnel*	[toúnel]
w	*u*	*cuatro*	[kwátro]
y	*y*	*ayer*	[ayér]
	ll	*calle*	[kaye]
	i	*aire*	[áyre]

Les deux-points (:) signifient que le son de la voyelle s'allonge.

ACCENT TONIQUE

....

L'accent **tonique espagnol** est de type **lexical**, c'est-à-dire que le mot conserve toujours le même accent quelle que soit sa place dans la phrase, alors qu'en français le mot perd son accent au profit du groupe de mots (accent **syntaxique**).

En espagnol, chaque mot comporte une syllabe plus accentuée, «**l'accent tonique**», qui est très important, s'avérant souvent nécessaire pour la compréhension de vos interlocuteurs. Si, dans un mot, une voyelle porte un accent aigu (le seul accent orthographique utilisé en espagnol), c'est cette syllabe qui doit être accentuée, car, en cas contraire, on peut changer la signification du mot ou exprimer un temps de verbe différent comme dans les cas suivants :

cantará	(futur)
cantara	(subjonctif)
cántara	(nom)
calculó	(passé simple)
calculo	(présent)
cálculo	(nom)
depositó	(passé simple)
deposito	(présent)
depósito	(nom)

S'il n'y a pas d'accent sur le mot, il faut suivre la simple règle qui consiste à accentuer l'avant-dernière syllabe de tout mot qui se termine par une voyelle : *amigo*, *casa*, *barco*.

On doit accentuer la dernière syllabe de tout mot qui se termine par une consonne sauf *s* (pluriel des noms et adjectifs) ou *n* (pluriel des verbes) :

amigos, *hablan*

alcohol, *mentol*, *azul*, *nariz*, *correr*, *usted*, *estoy*, *reloj*

QUELQUES CONSEILS

→ Lisez à haute voix.

→ Écoutez des chansons du pays en essayant de comprendre certains mots.

→ Faites des associations d'idées pour mieux retenir les mots et le système linguistique. Ainsi, en espagnol, retenez qu'une terminaison en *o* désigne presque toujours un mot masculin, tandis que les terminaisons en *a* sont généralement réservées aux mots féminins. À titre d'exemple, le prénom Julio (Julio Iglesias) est masculin alors que Gloria (Gloria Estefan) est féminin.

→ Faites aussi des liens entre le français et l'espagnol. Par exemple, «dernier» se dit *último* en espagnol, un terme voisin d'«ultime» en français. Dans le même ordre d'idées, «excusez-moi» se traduit par *disculpe, perdone*, alors qu'on dit également en français «se disculper».

→ Essayez par ailleurs de déduire par vous-même les dérivés de certains mots courants tels que *lento* et *lentamente* pour «lent» et «lentement». Vous élargirez ainsi plus rapidement votre vocabulaire.

GRAMMAIRE

LES RÈGLES ESSENTIELLES

Le féminin et le masculin

En espagnol, les mots masculins se terminent souvent par *o* et les mots féminins par *a*.

Par exemple :

La luna	**La lune**
El castillo	**Le château**

Cependant, il y a des exceptions.

Par exemple :

El sol	**Le soleil**
El corazón	**Le cœur**
La mujer	**La femme**
La calle	**La rue**

Élimination du pronom personnel

En espagnol, le pronom personnel est généralement omis. Ainsi, pour dire «je voyage beaucoup», on ne dit pas *yo viajo mucho*, mais plutôt *viajo mucho.* Aussi, pour dire «tu viens avec moi», on ne dit pas *tu vienes conmigo*, mais plutôt *vienes conmigo.*

Par exemple :

Voy a la playa.	**Je vais à la plage.**
Andamos juntos.	**Nous marchons ensemble.**

La négation

L'usage de la négation est très simple en espagnol. Il suffit de mettre *no* devant le verbe. Par exemple :

No voy a la playa.	**Je ne vais pas à la plage.**
No come carne.	**Il ne mange pas de viande.**
¿No vienes conmigo ?	**Ne viens-tu pas avec moi ?**

Dans la négation, l'utilisation du pronom personnel est cependant plus fréquente et sert à mettre l'emphase sur la personne. Il faut alors placer *no* entre le pronom personnel et le verbe. Par exemple :

Tú no vas a la discoteca.	**Tu ne vas pas à la discothèque.**
Yo no quiero verte.	**Je ne veux pas te voir.**

L'article partitif

L'article partitif «du» et son pluriel «des» n'existent pas en espagnol.

Par exemple :

Comemos pan.	**Nous mangeons du pain.**
Compro ropa.	**J'achète des vêtements.**

L'article défini

L'article défini est utilisé comme en français, soit devant le mot qu'il désigne. La seule différence est qu'au pluriel l'article défini s'accorde en genre.

Au féminin pluriel :

Las flores	**Les fleurs**
Las bibliotecas	**Les bibliothèques**

Au masculin pluriel :

Los árboles	**Les arbres**
Los libros	**Les livres**

De plus, *el* est équivalent de «le» en français (masculin singulier). Par exemple :

El perro	**Le chien**
El gato	**Le chat**

La est l'équivalent de «la» en français (féminin singulier). Par exemple :

La playa	**La plage**

L'article indéfini

L'article indéfini s'utilise comme en français au singulier. Cependant, l'article indéfini s'accorde en genre au pluriel. Par exemple :

Au féminin pluriel :

Unas amigas	**Des amies**
Unas mesas	**Des tables**

Au masculin pluriel :

Unos amigos   **Des amis**

Unos vasos   **Des verres**

Au singulier, l'article indéfini masculin est *un*, comme en français. Par exemple :

Un amigo   **Un ami**

Au singulier, l'article indéfini féminin est *una*. Par exemple :

Una casa   **Une maison**

Le pronom personnel sujet

En français, la forme polie pour s'adresser à une ou plusieurs personnes consiste à remplacer le « tu » par le « vous ». En espagnol, vous n'avez qu'à employer la troisième personne, tant au singulier qu'au pluriel.

Ainsi, si vous vous adressez à une seule personne, utilisez la troisième personne du singulier : *usted.*

Vous êtes un très bon guide.
Usted es muy buen guía.

Avez-vous une chambre libre ?
¿ Tiene usted una habitación libre ?

Si vous vous adressez à plusieurs personnes à la fois, utilisez la troisième personne du pluriel : *ustedes.* En Amérique latine, la forme polie a carrément remplacé l'utilisation de la deuxième personne du pluriel. Ainsi, *vosotros* (vous) n'est pratiquement jamais employé, au profit de *ustedes* (ils).

Vous êtes très aimables.
Ustedes son muy amables.

Savez-vous qui est le chauffeur ?
¿ Saben ustedes quién es el chofer ?

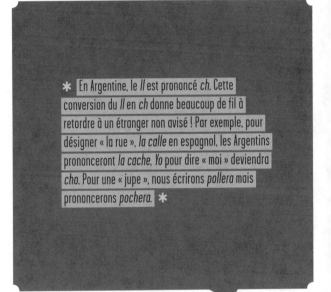

* En Argentine, le *ll* est prononcé *ch*. Cette conversion du *ll* en *ch* donne beaucoup de fil à retordre à un étranger non avisé ! Par exemple, pour désigner « la rue », *la calle* en espagnol, les Argentins prononceront *la cache*. *Yo* pour dire « moi » deviendra *cho*. Pour une « jupe », nous écrirons *pollera* mais prononcerons *pochera*. *

LES VERBES

Il y a, en espagnol comme en français, trois groupes de verbes qui se distinguent d'après les terminaisons de l'infinitif qui sont *-ar*, *-er* et *-ir*.

Notez que nous n'avons pas mentionné les pronoms personnels dans la conjugaison des verbes. Ils devraient toujours se lire comme suit :

	FRANÇAIS	*ESPAÑOL*
1re pers. du singulier	Je	*Yo*
2e pers. du singulier	Tu	*Tú*
3e pers. du singulier	Il, Elle	*Él / Ella / Usted*
1re pers. du pluriel	Nous	*Nosotros (as)*
2e pers. du pluriel	Vous	*Vosotros (as)*
3e pers. du pluriel	Ils, Elles	*Ellos / Ellas / Ustedes*

L'impératif

Si vous connaissez le présent de l'indicatif des verbes réguliers, vous pourrez donner des ordres sans peine.

L'impératif en espagnol n'est ainsi que la troisième personne de l'indicatif présent. Par exemple :

S'il te plaît, monte mes valises à la chambre.
Por favor sube mis maletas a la habitación.

Ferme la porte.
Cierra la puerta.

Si vous utilisez la forme polie, avec *usted*, il faut changer la terminaison du verbe régulier à l'infinitif par :

verbes en *ar* : *e*

verbes en *ir* et *er* : *a*

Par exemple :

S'il vous plaît, montez mes valises
Por favor, suba usted mis maletas (subir : suba).

Achetez-moi un billet, s'il vous plaît.
Compre un billete para mí, por favor (comprar : compre).

Si vous avez à donner des ordres à plusieurs personnes, vous devez remplacer la terminaison du verbe régulier à l'infinitif par :

verbes en *ar* : *en*

verbes en *ir* et *er* : *an*

Par exemple :

S'il vous plaît, montez mes valises
Por favor, suban mis maletas (subir : suban).

Parlez plus lentement.
Hablen más despacio (hablar : hablen).

Le passé simple

Contrairement au français, le passé simple est utilisé fréquemment dans la langue parlée. Ainsi, pour toute action qui s'est déroulée dans une période de temps passée, il faut utiliser le passé simple. Par exemple :

Ayer, fuimos al museo.
Hier nous fûmes au musée.

El año pasado gané mucho dinero.
L'an passé, je gagnai beaucoup d'argent.

Le passé composé est employé lorsque la période de temps à laquelle on se réfère ne s'est pas encore écoulée. Par exemple :

Hoy hemos ido al museo.
Aujourd'hui, nous sommes allés au musée.

Este año he ganado mucho dinero.
Cette année, j'ai gagné beaucoup d'argent.

1er groupe (verbes en *-ar*)

AIMER– *AMAR*

Infinitif – *Infinitivo*

SIMPLE	SIMPLE	COMPOSÉ	COMPUESTO
aimer	*amar*	avoir aimé	*haber amado*

Participe – *Participio*

PRÉSENT	PRESENTE	PASSÉ	PASADO
aimant	*amando*	aimé-ée	*amado*
		ayant aimé	*habiendo amado*

Indicatif – *Indicativo*

PRÉSENT	PRESENTE	PASSÉ COMPOSÉ	PASADO COMPUESTO
aime	*amo*	ai aimé	*he amado*
aimes	*amás*	as aimé	*has amado*
aime	*ama*	a aimé	*ha amado*
aimons	*amamos*	avons aimé	*hemos amado*
aimez	*amáis*	avez aimé	*habéis amado*
aiment	*aman*	ont aimé	*han amado*

IMPARFAIT	*IMPERFECTO*	PLUS-QUE-PARFAIT	*PLUSCUAM-PERFECTO*
aimais	*amaba*	avais aimé	*había amado*
aimais	*amabas*	avais aimé	*habías amado*
aimait	*amaba*	avait aimé	*había amado*
aimions	*amábamos*	avions aimé	*habíamos amado*
aimiez	*amabais*	aviez aimé	*habíais amado*
aimaient	*amaban*	avaient aimé	*habían amado*

PASSÉ SIMPLE	*PASADO SIMPLE*	FUTUR SIMPLE	*FUTURO*
aimai	*amé*	aimerai	*amaré*
aimas	*amaste*	aimeras	*amarás*
aima	*amó*	aimera	*amará*
aimâmes	*amamos*	aimerons	*amaremos*
aimâtes	*amasteis*	aimerez	*amaréis*
aimèrent	*amaron*	aimeront	*amarán*

2e groupe (verbes en -er)

CRAINDRE– *TEMER*

Infinitif – *Infinitivo*

SIMPLE	*SIMPLE*	COMPOSÉ	*COMPUESTO*
craindre	*temer*	avoir craint	*haber temido*

Participe – *Participio*

PRÉSENT	*PRESENTE*	PASSÉ	*PASADO*
craignant	*temiendo*	craint-ainte ayant craint	*temido habiendo temido*

2 Grammaire

Indicatif – *Indicativo*

PRÉSENT	*PRESENTE*	PASSÉ COMPOSÉ	*PASADO COMPUESTO*
crains	*temo*	ai craint	*he temido*
crains	*temes*	as craint	*has temido*
craint	*teme*	a craint	*ha temido*
craignons	*tememos*	avons craint	*hemos temido*
craignez	*teméis*	avez craint	*habéis temido*
craignent	*temen*	ont craint	*han temido*

IMPARFAIT	*IMPERFECTO*	PLUS-QUE-PARFAIT	*PLUSCUAM-PERFECTO*
craignais	*temía*	avais craint	*había temido*
craignais	*temías*	avais craint	*habías temido*
craignait	*temía*	avait craint	*había temido*
craignions	*temíamos*	avions craint	*habíamos temido*
craigniez	*temíais*	aviez craint	*habíais temido*
craignaient	*temían*	avaient craint	*habían temido*

PASSÉ SIMPLE	*PASADO SIMPLE*	FUTUR SIMPLE	*FUTURO*
craignis	*temí*	craindrai	*temeré*
craignis	*temiste*	craindras	*temerás*
craignit	*temió*	craindra	*temerá*
craignîmes	*temimos*	craindrons	*temeremos*
craignîtes	*temisteis*	craindrez	*temeréis*
craignirent	*temieron*	craindront	*temerán*

3e groupe (verbes en -ir)

PARTIR – *PARTIR*

Infinitif – *Infinitivo*

SIMPLE	*SIMPLE*	COMPOSÉ	*COMPUESTO*
partir	*partir*	être parti	*haber partido*

Participe – *Participio*

PRÉSENT	*PRESENTE*	PASSÉ	*PASADO*
partant	*partiendo*	parti-ie	*partido*
		étant parti	*habiendo partido*

Indicatif – *Indicativo*

PRÉSENT	*PRESENTE*	PASSÉ COMPOSÉ	*PASADO COMPUESTO*
pars	*parto*	suis parti	*he partido*
pars	*partés*	es parti	*has partido*
part	*parte*	est parti	*ha partido*
partons	*partimos*	sommes partis	*hemos partido*
partez	*partís*	êtes partis	*habéis partido*
partent	*parten*	sont partis	*han partido*

IMPARFAIT	*IMPERFECTO*	PLUS-QUE-PARFAIT	*PLUSCUAM-PERFECTO*
partais	*partía*	étais parti	*había partido*
partais	*partías*	étais parti	*habías partido*
partait	*partía*	était parti	*había partido*
partions	*partíamos*	étions partis	*habíamos partido*
partiez	*partíais*	étiez partis	*habíais partido*
partaient	*partían*	étaient partis	*habían partido*

PASSÉ SIMPLE	PASADO SIMPLE	FUTUR SIMPLE	FUTURO
partis	*partí*	partirai	*partiré*
partis	*partiste*	partiras	*partirás*
partit	*partió*	partira	*partirá*
partîmes	*partimos*	partirons	*partiremos*
partîtes	*partisteis*	partirez	*partiréis*
partirent	*partieron*	partiront	*partirán*

> * La préposition *para* (pour) se prononce fréquemment *pa*. Par exemple : *¿ Pa dónde vamos ?* (« Où va-t-on ? »), *¿ Pa la izquierda o pa la derecha ?* (« À gauche ou à droite ? »). *

Le verbe « être »

En espagnol, le verbe «être» s'exprime par deux verbes irréguliers : *ser* et *estar*.

Ser indique d'une manière générale un état permanent. Plus spécifiquement :

a) l'occupation

Je suis touriste.	*Yo soy turista.*	[yo sóy turísta]

b) la couleur

Le pantalon est noir.	*El pantalón es negro.*	[el pantalón es négro]

c) la qualité

La piscine est petite.	*La piscina es pequeña.*	[la pisína es pekégna]

d) la possession

C'est le passeport de María.	*El pasaporte es de María.*	[el pasapórté es de maría]

e) l'origine

Tu es du Chili.	*Tú eres de Chile.*	[tú éres de tchíle]

f) la nationalité

Lola est Espagnole.	*Lola es Española.*	[lóla es espagnóla]

g) la matière

La boîte est en cuir.	*La caja es de piel*	[la káHa es de piél]

Estar indique d'une manière générale un état temporaire ; sert à localiser les personnes ou les objets et à décrire les états ponctuels.

a) **Je suis (vais) bien.** *Estoy bien.* [estóy bién]

b) **La Havane est (se trouve) à Cuba.** *La Habana está en Cuba.* [la:bána está en kúba]

ÊTRE – *SER*

Infinitif – *Infinitivo*

SIMPLE	SIMPLE	COMPOSÉ	COMPUESTO
être	*ser*	avoir été	*haber sido*

Participe – *Participio*

PRÉSENT	PRESENTE	PASSÉ	PASADO
étant	*siendo*	été	*sido*
		ayant été	*habiendo sido*

Indicatif – *Indicativo*

PRÉSENT	PRESENTE	PASSÉ COMPOSÉ	PASADO COMPUESTO
suis	*soy*	ai été	*he sido*
es	*eres*	as été	*has sido*
est	*es*	a été	*ha sido*
sommes	*somos*	avons été	*hemos sido*
êtes	*sois*	avez été	*habéis sido*
sont	*son*	ont été	*han sido*

IMPARFAIT	IMPERFECTO	PLUS-QUE-PARFAIT	PLUSCUAM-PERFECTO
étais	*era*	avais été	*había sido*
étais	*eras*	avais été	*habías sido*
était	*era*	avait été	*había sido*
étions	*éramos*	avions été	*habíamos sido*

étiez	*erais*	aviez été	*habíais sido*
étaient	*eran*	avaient été	*habían sido*

PASSÉ SIMPLE	PASADO SIMPLE	FUTUR SIMPLE	FUTURO
fus	*fui*	serai	*seré*
fus	*fuiste*	seras	*serás*
fut	*fue*	sera	*será*
fûmes	*fuimos*	serons	*seremos*
fûtes	*fuisteis*	serez	*seréis*
furent	*fueron*	seront	*serán*

ÊTRE – *ESTAR*

Infinitif – *Infinitivo*

SIMPLE	SIMPLE	COMPOSÉ	COMPUESTO
être	*estar*	avoir été	*haber estado*

Participe – *Participio*

PRÉSENT	PRESENTE	PASSÉ	PASADO
étant	*estando*	été	*estado*
		ayant été	*habiendo estado*

Indicatif – *Indicativo*

PRÉSENT	PRESENTE	PASSÉ COMPOSÉ	PASADO COMPUESTO
suis	*estoy*	ai été	*he estado*
es	*estás*	as été	*has estado*
est	*está*	a été	*ha estado*
sommes	*estamos*	avons été	*hemos estado*
êtes	*estáis*	avez été	*habéis estado*

2 Grammaire

sont	*están*	ont été	*han estado*
IMPARFAIT	*IMPERFECTO*	**PLUS-QUE-PARFAIT**	*PLUSCUAM-PERFECTO*
étais	*estaba*	avais été	*había estado*
étais	*estabas*	avais été	*habías estado*
était	*estaba*	avait été	*había estado*
étions	*estábamos*	avions été	*habíamos estado*
étiez	*estabais*	aviez été	*habíais estado*
étaient	*estaban*	avaient été	*habían estado*
PASSÉ SIMPLE	*PASADO SIMPLE*	**FUTUR SIMPLE**	*FUTURO*
fus	*estuve*	serai	*estaré*
fus	*estuviste*	seras	*estarás*
fut	*estuvo*	sera	*estará*
fûmes	*estuvimos*	serons	*estaremos*
fûtes	*estuvisteis*	serez	*estaréis*
furent	*estuvieron*	seront	*estarán*

> * En espagnol, les phrases interrogatives commencent par un point d'interrogation inversé (¿) et se terminent par un point d'interrogation normal (?). Le point d'exclamation suit la même règle (¡!). *

Le verbe «avoir»

L'équivalent d'«avoir» en espagnol est le verbe irrégulier *tener*.
On le conjugue comme suit :

AVOIR – *TENER*

Infinitif – *Infinitivo*

SIMPLE	SIMPLE	COMPOSÉ	COMPUESTO
avoir	*tener*	avoir eu	*haber tenido*

Participe – *Participio*

PRÉSENT	PRESENTE	PASSÉ	PASADO
ayant	*teniendo*	eu-eue	*tenido*
		ayant eu	*habiendo tenido*

Indicatif – *Indicativo*

PRÉSENT	PRESENTE	PASSÉ COMPOSÉ	PASADO COMPUESTO
ai	*tengo*	ai eu	*he tenido*
as	*tenés*	as eu	*has tenido*
a	*tiene*	a eu	*ha tenido*
avons	*tenemos*	avons eu	*hemos tenido*
avez	*tienen*	avez eu	*habéis tenido*
ont	*tienen*	ont eu	*han tenido*

IMPARFAIT	IMPERFECTO	PLUS-QUE-PARFAIT	PLUSCUAMPERFECTO
avais	*tenía*	avais eu	*había tenido*
avais	*tenías*	avais eu	*habías tenido*
avait	*tenía*	avait eu	*había tenido*
avions	*teníamos*	avions eu	*habíamos tenido*
aviez	*teníais*	aviez eu	*habíais tenido*
avaient	*tenían*	avaient eu	*habían tenido*

* Dans de nombreux pays d'Amérique latine (Argentine, Paraguay, Uruguay, Honduras, El Salvador, Guatemala, Nicaragua, Costa Rica), on utilise le *vos* au lieu du *tú* pour tutoyer. Ce terme était employé en Espagne jusqu'au XVIe siècle. Le pluriel est *ustedes* (3e pers.) et non *vosotros* (2e pers.). Exemple de conjugaison du verbe « être » : *yo soy, vos sos* (je suis, tu es). Finalement, *ti* est également remplacé par *vos* ; par exemple : *Es para ti* devient *Es para vos* (« C'est pour toi »). Il y a aussi des pays où ce phénomène s'applique seulement dans certaines régions, notamment au Chili, au Panamá ou en Colombie. *

PASSÉ SIMPLE	*PASADO SIMPLE*	FUTUR SIMPLE	*FUTURO*
eus	*tuve*	aurai	*tendré*
eus	*tuviste*	auras	*tendrás*
eut	*tuvo*	aura	*tendrá*
eûmes	*tuvimos*	aurons	*tendremos*
eûtes	*tuvieron*	aurez	*tendrán*
eurent	*tuvieron*	auront	*tendrán*

Quelques verbes courants

Infinitif

ouvrir	*abrir*	[abrír]
aller	*ir*	[ir]
venir	*venir*	[benír]
donner	*dar*	[dar]
pouvoir	*poder*	[podér]
vouloir	*querer*	[kerér]
parler	*hablar*	[ablár]
manger	*comer*	[komér]

Présent de l'indicatif (1re personne)

ouvre	*abro*	[ábro]
vais	*voy*	[bóy]
viens	*vengo*	[béngo]
donne	*doy*	[dóyi]
peux	*puedo*	[pwédo]

2 Grammaire

veux	*quiero*	[kiéro]
parle	*hablo*	[áblo]
mange	*como*	[kómo]

Imparfait (1ʳᵉ personne)

ouvrais	*abría*	[abría]
allais	*iba*	[íba]
venais	*venía*	[benía]
donnais	*daba*	[dába]
pouvais	*podía*	[podía]
voulais	*quería*	[kería]
parlais	*hablaba*	[ablába]
mangeais	*comía*	[komía]

Futur (1ʳᵉ personne)

ouvrirai	*abriré*	[abriré]
irai	*iré*	[iré]
viendrai	*vendré*	[bendré]
donnerai	*daré*	[daré]
pourrai	*podré*	[podré]
voudrai	*querré*	[keré]
parlerai	*hablaré*	[ablaré]
mangerai	*comeré*	[komeré]

D'autres verbes pratiques à l'infinitif

accepter	*aceptar*	[aseptár]
arrêter	*parar*	[parár]
comprendre	*comprender*	[komprendér]
conduire	*conducir*	[kondousír]
confirmer	*confirmar*	[konfirmár]
coûter	*costar*	[kostár]
écrire	*escribir*	[eskribír]
faire	*hacer*	[asér]
fermer	*cerrar*	[serár]
indiquer	*indicar*	[indikár]
mettre	*poner*	[ponér]
obtenir	*conseguir*	[konsegouír]
perdre	*perder*	[perdér]
voyager	*viajar*	[biaHár]

✱ Confondre les prépositions *por* et *para* en espagnol est monnaie courante ! Ces deux mots sont employés pour désigner respectivement « par » et « pour » en français. Comment faire la différence ? Retenez que *para* indique le but, la destination, la finalité d'une action, tandis que *por* désigne la cause, le motif de quelque chose. Par exemple : *Es para ti* (C'est pour toi), *Por favor* (S'il vous plaît). ✱

3

RENSEIGNEMENTS GÉNÉRAUX

MOTS ET EXPRESSIONS USUELS
PALABRAS Y EXPRESIONES USUALES

Oui	*Sí*	[sí]
Non	*No*	[no]
Peut-être	*Puede ser*	[pwéde ser]
Excusez-moi	*Perdone*	[perdóne]
Bonjour (forme familière)	*¡Hola!*	[óla]
Bonjour (le matin)	*Buenos días*	[bwénos días]
Bonjour (l'après-midi)	*Buenas tardes*	[bwénas tárdes]
Bonsoir	*Buenas tardes*	[bwénas tárdes]
Bonne nuit	*Buenas noches*	[bwénas nótches]
Salut	*¡Adios!*	[adiós]
Au revoir	*Hasta la vista* *Hasta luego*	[ásta la vísta] [ásta louégo]
Merci	*Gracias*	[grásias]
Merci beaucoup	*Muchas gracias*	[mútchas grásias]
S'il vous plaît	*Por favor*	[por fabór]
Je vous en prie	*De nada / por nada*	[de náda / por náda]

Comment allez-vous ?	*¿ Cómo está usted ? / ¿ Qué tal ?*	[kómo está ousté / ke tál]
Très bien, et vous ?	*Muy bien, ¿ y usted ?*	[mwí bién] [i ousté]
Très bien, merci	*Muy bien, gracias*	[mwí bién grásias]
Où se trouve ... ?	*¿ Dónde se encuentra... ?*	[dónde se: nkwéntra]
l'hôtel... ?	*el hotel... ?*	[el otél]
Est-ce qu'il y a ... ?	*¿ Hay... ?*	[áy]

Est-ce qu'il y a une piscine ?
¿ Hay una piscina ?
[áy oúna pisína]

Est-ce loin d'ici ?
¿ Está lejos de aquí ?
[está léHos de akí]

Est-ce près d'ici ?
¿ Está cerca de aquí ?
[está sérka de akí]

ici	*aquí*	[aky]
là	*ahí*	[aí]
à droite	*a la derecha*	[a la derétcha]
à gauche	*a la izquierda*	[a la iskiérda]
tout droit	*derecho / derechito*	[derétcho / deretchíto]
avec	*con*	[kón]
sans	*sin*	[sín]
beaucoup	*mucho*	[moútcho]
peu	*poco*	[póko]

souvent	*a menudo*	[a menoúdo]
de temps à autre	*de tiempo en tiempo*	[de tiémpo en tiémpo]
quand	*cuando*	[kwándo]
très	*muy*	[mwí]
aussi	*también*	[tambièn]
dessus (sur / au-dessus de)	*encima (sobre / por encima de)*	[ensíma (sóbre / por ensíma de)]
dessous (sous / en dessous de)	*debajo (bajo / por debajo de)*	[debáHo (báHo por debáHo de)]
en haut	*arriba*	[aríba]
en bas	*abajo*	[abáHo]
avant	*antes*	[ántes]
après	*después*	[despoués]

Excusez-moi, je ne comprends pas.
Discúlpeme, no comprendo.
[discúlpeme no kompréndo]

Pouvez-vous parler plus lentement, s'il vous plaît ?
¿ Puede usted hablar más lentamente, por favor ?
[pwéde ousté ablár más lentaménte por fabór]

Pouvez-vous répéter, s'il vous plaît ?
¿ Puede usted repetir, por favor ?
[pwéde ousté repetír / por fabór]

Parlez-vous français ?
¿ Habla usted francés ?
[ábla ousté fransés]

Je ne parle pas l'espagnol.
Yo no hablo español.
[yo no áblo espagnól]

Renseignements généraux

Y a-t-il quelqu'un ici qui parle français?
¿Hay alguien aquí que hable francés?
[ayálgien akí ke áble fransés]

Y a-t-il quelqu'un ici qui parle anglais?
¿Hay alguien aquí que hable inglés?
[ayálgien akí ke áble inglés]

Est-ce que vous pouvez me l'écrire?
¿Puede usted escribírmelo?
[pwéde ousté eskribírmelo]

Qu'est-ce que cela veut dire?
¿Qué quiere decir eso?
[ke kiére desír éso]

Que veut dire le mot...?
¿Qué quiere decir la palabra...?
[ke kiére desír la palábra...]

Je comprends.
Comprendo.
[kompréndo]

Comprenez-vous?
¿Comprende usted?
[kompréndе ousté]

En français, on dit...
En francés se dice...
[en fransés se díse]

En anglais, on dit...
En inglés se dice...
[en inglés se díse]

Pouvez-vous me l'indiquer dans le livre?
¿Puede usted indicármelo en el libro?
[pwéde ousté indikármelo en el líbro]

Puis-je avoir… ?
¿ Puedo tener… ?
[pwédo tenér…]

Je voudrais avoir…
Desearía tener…
[desearía]

Je ne sais pas.
Yo no sé.
[yo no sé]

LES COULEURS
LOS COLORES

blanc(che)	*blanco(a)*	[blánco(a)]
noir(e)	*negro(a)*	[négro(a)]
rouge	*rojo(a)*	[róHo(a)]
vert(e)	*verde*	[bérde]
bleu(e)	*azul*	[asúl]
jaune	*amarillo*	[amaríyo]

LES NOMBRES
LOS NÚMEROS

un	*uno (una)*	[oúno (oúna)]
deux	*dos*	[dós]
trois	*tres*	[trés]
quatre	*cuatro*	[kwátro]
cinq	*cinco*	[sínko]
six	*seis*	[séys]

3 Renseignements généraux

sept	*siete*	[siéte]
huit	*ocho*	[ótcho]
neuf	*nueve*	[nwébe]
dix	*diez*	[diés]
onze	*once*	[ónse]
douze	*doce*	[dóse]
treize	*trece*	[trése]
quatorze	*catorce*	[katórse]
quinze	*quince*	[kínse]
seize	*dieciséis*	[diesiséys]
dix-sept	*diecisiete*	[diesisiéte]
dix-huit	*dieciocho*	[diesiótcho]
dix-neuf	*diecinueve*	[diesinwébe]
vingt	*veinte*	[béynte]
vingt et un	*veintiuno*	[beyntiúno]
vingt-deux	*veintidós*	[beyntidós]
trente	*treinta*	[tréynta]
trente et un	*treinta y uno*	[treyntaiyoúno]
trente-deux	*treinta y dos*	[treyntaiydós]
quarante	*cuarenta*	[kwarénta]
quarante et un	*cuarenta y uno*	[kwarentaiyúno]
cinquante	*cincuenta*	[sinkwénta]
soixante	*sesenta*	[sesénta]
soixante-dix	*setenta*	[seténta]
quatre-vingt	*ochenta*	[otchénta]
quatre-vingt-dix	*noventa*	[nobénta]

cent	*cien / ciento*	[sién / siénto]
deux cents	*doscientos*	[dosiéntos]
deux cent quarante-deux	*doscientos cuarenta y dos*	[dosiéntos kwarentaidós]
cinq cents	*quinientos*	[kiniéntos]
mille	*mil*	[míl]
dix mille	*diez mil*	[diés míl]
un million	*un millón*	[oún miyón]

Pour «trente» et «quarante», comme on peut voir ci-dessus, et les autres nombres jusqu'à quatre-vingt-dix, on doit ajouter au nombre en question *y* + *uno*, *dos*, *tres*, etc. À partir de «cent», c'est comme en français.

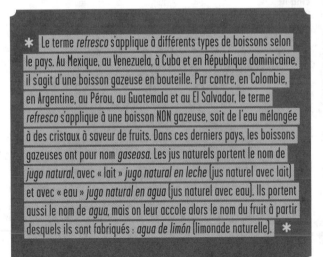

✱ Le terme *refresco* s'applique à différents types de boissons selon le pays. Au Mexique, au Venezuela, à Cuba et en République dominicaine, il s'agit d'une boisson gazeuse en bouteille. Par contre, en Colombie, en Argentine, au Pérou, au Guatemala et au El Salvador, le terme *refresco* s'applique à une boisson NON gazeuse, soit de l'eau mélangée à des cristaux à saveur de fruits. Dans ces derniers pays, les boissons gazeuses ont pour nom *gaseosa*. Les jus naturels portent le nom de *jugo natural*, avec « lait » *jugo natural en leche* (jus naturel avec lait) et avec « eau » *jugo natural en agua* (jus naturel avec eau). Ils portent aussi le nom de *agua*, mais on leur accole alors le nom du fruit à partir desquels ils sont fabriqués : *agua de limón* (limonade naturelle). ✱

L'HEURE ET LE TEMPS
HORA Y TIEMPO

....

Heure – *Hora*

Quelle heure est-il ?	*¿ Qué hora es ?*	[ke óra es]
Il est une heure.	*Es la una.*	[es la oúna]
Il est deux heures.	*Son las dos.*	[són las dós]
trois heures et demie	*tres y media*	[tresimédia]
quatre heures et quart	*cuatro y cuarto*	[kwátro i kwarto]
cinq heures moins le quart	*cinco menos cuarto*	[sínko ménos kwárto]
six heures cinq	*seis y cinco*	[séysi sínko]
sept heures moins dix	*siete menos diez*	[siéte ménos diés]
Dans un quart d'heure	*En un cuarto de hora*	[en oún kwárto de óra]
Dans une demi-heure	*En media hora*	[en média óra]
Dans une heure	*En una hora*	[en oúna óra]
Dans un instant	*En un instante / En un momento*	[en oún istánte / en oún moménto]
Un instant, s'il vous plaît	*Un momento, por favor*	[oún moménto por fabór]
Quand ?	*¿ Cuándo ?*	[kwándo]
Tout de suite	*Enseguida*	[ensegída]
Maintenant	*Ahora*	[aóra]
Ensuite	*Después*	[despwés]

| Plus tard | *Más tarde* | [más tárde] |
| Je reviendrai dans une heure. | *Volveré en una hora.* | [bolberé :n oúna óra] |

Moments de la journée – *Momentos del día*

jour	*día*	[día]
nuit	*noche*	[nótche]
matin	*mañana*	[magnána]
après-midi	*tarde*	[tárde]
soirée	*tarde*	[tárde]
aujourd'hui	*hoy*	[óy]
ce matin	*esta mañana*	[ésta magnána]
cet après-midi	*esta tarde*	[ésta tárde]
ce soir	*esta noche*	[ésta nótche]
demain	*mañana*	[magnána]
demain matin	*mañana por la mañana*	[magnána por la magnána]
demain après-midi	*mañana por la tarde*	[magnána por la tárde]
demain soir	*mañana por la noche*	[magnána por la nótche]
après-demain	*pasado mañana*	[pasádo magnána]
hier	*ayer*	[ayér]
avant-hier	*anteayer*	[ánteayér]
semaine	*semana*	[semána]
la semaine prochaine	*la semana próxima*	[la semána próxima]

| la semaine dernière | la semana pasada | [la semána pasáda] |
| lundi prochain | el lunes próximo | [loúnes próksimo] |

Jours de la semaine – *Días de la semana*

dimanche	domingo	[domíngo]
lundi	lunes	[loúnes]
mardi	martes	[mártes]
mercredi	miércoles	[miérkoles]
jeudi	jueves	[Hwébes]
vendredi	viernes	[biérnes]
samedi	sábado	[sábado]

Mois – *Meses*

janvier	enero	[enéro]
février	febrero	[febréro]
mars	marzo	[márso]
avril	abril	[abríl]
mai	mayo	[máyo]
juin	junio	[Hoúnio]
juillet	julio	[Hoúlio]
août	agosto	[agósto]
septembre	septiembre	[septiémbre]
octobre	octubre	[oktoúbre]
novembre	noviembre	[noviémbre]
décembre	diciembre	[disiémbre]

le 1er juin	*el primero de junio*	[el prímero de Hoúnio]
le 10 juin	*el diez de junio*	[el diés de Hoúnyo]
le 17 juin	*el diecisiete de junio*	[el diesisiéte de Hoúnio]
le 31 juillet	*el treinta y uno de julio*	[el tréynta i oúno de Hoúlio]
mois	*mes*	[més]
le mois prochain	*el mes próximo*	[el més próksimo]
le mois dernier	*el mes pasado*	[el més pasádo]
année	*año*	[ágno]
l'année prochaine (l'an prochain)	*el próximo año*	[el próksimo ágno]
l'année passée (l'an dernier)	*el año pasado*	[el ágno pasádo]

À partir de quelle heure peut-on prendre le petit déjeuner ?
¿ A partir de qué hora se puede desayunar ?
[a partír de ke óra se pwéde desayunár]

Jusqu'à quelle heure ?
¿ Hasta qué hora ?
[ásta ke óra]

À quelle heure la chambre sera-t-elle prête ?
¿ A qué hora estará lista la habitación ?
[a ke óra estará lísta la:bitasión]

À quelle heure doit-on quitter la chambre ?
¿ A qué hora se debe dejar la habitación ?
[a ke óra se débe deHár la:bitasión]

Quel est le décalage horaire entre… et …?
¿ Cuál es la diferencia de horario entre… y … ?
[kwál es la diferénsia de oráryo éntre… i…]

PAYS ET NATIONALITÉS
PAISES Y NACIONALIDADES

Argentine	*Argentina*	[arHentína]
Belgique	*Bélgica*	[belHíka]
Bolivie	*Bolivia*	[bolíbia]
Brésil	*Brasil*	[brásil]
Canada	*Canadá*	[kanadá]
Chili	*Chile*	[tchíle]
Colombie	*Colombia*	[kolómbia]
Costa Rica	*Costa Rica*	[kósta ríka]
El Salvador	*El Salvador*	[el salbadór]
Équateur	*Ecuador*	[ekwdór]
Espagne	*España*	[espágna]
États-Unis	*Estados Unidos*	[estádos ounídos]
France	*Francia*	[fránsia]
Guatemala	*Guatemala*	[gwatemála]
Honduras	*Honduras*	[ondoúras]
Italie	*Italia*	[itália]
Mexique	*México*	[méHiko]
Nicaragua	*Nicaragua*	[nikarágwa]
Panamá	*Panamá*	[panamá]
Paraguay	*Paraguay*	[paragwáy]
Pérou	*Perú*	[perú]
Québec	*Quebec*	[kebék]

Suisse	*Suiza*	[swísa]
Uruguay	*Uruguay*	[ourougwáy]
Venezuela	*Venezuela*	[beneswéla]
Je suis...	*Soy...*	[sóy]
Américain/ Américaine	*Americano(a) / Estadounidense*	[amerikáno / a / estadounidénse]
Argentin/ Argentine	*Argentino/ Argentina*	[arHentíno / arHentína]
Belge	*Belga*	[bélga]
Bolivien/ Bolivienne	*Boliviano/ Boliviana*	[bolibiáno / bolibiána]
Brésilien/ Brésilienne	*Brasilero/ Brasilera*	[brasiléro / brasiléra]
Canadien/ Canadienne	*Canadiense*	[kanadiénse]
Colombien/ Colombienne	*Colombiano/ Colombiana*	[kolombiáno / kolombiána]
Chilien/Chilienne	*Chileno/Chilena*	[tchiléno / tchiléna]
Costaricain/ Costaricaine	*Costarricense*	[kostarisénse]
Équatorien/ Équatorienne	*Ecuatoriano/ Ecuatoriana*	[ekwatoriáno / ekwatoriána]
Espagnol/ Espagnole	*Español/ Española*	[espagnól / espagnóla]
Français/ Française	*Francés/ Francesa*	[fransés / fransésa]
Guatémaltèque	*Guatemalteco/ Guatemalteca*	[gwatemaltéko / gwatemaltéka]

Hondurien/ **Hondurienne**	*Hondureño/* *Hondureña*	[ondourégno / ondourégna]
Italien/Italienne	*Italiano/Italiana*	[italiáno / italiána]
Mexicain/ **Mexicaine**	*Mexicano/* *Mexicana*	[meHikáno / meHikána]
Nicaraguayen/ **Nicaraguayenne**	*Nicaragüense*	[niaragwénse]
Panaméen/ **Panaméenne**	*Panameño/* *Panameña*	[panamégno / panamégna]
Paraguayen/ **Paraguayenne**	*Paraguayo/* *Paraguaya*	[paragwáyo / paragwáya]
Péruvien/ **Péruvienne**	*Peruano/* *Peruana*	[perwáno / perwána]
Québécois/ **Québécoise**	*Quebequense* *Quebequés* *Quebequesa*	[kebekénse / kebekés/ kebekésa]
Salvadorien/ **Salvadirienne**	*Salvadoreño/* *Salvadoreña*	[salbadorégno / salbadorégna]
Suisse	*Suizo/Suiza*	[swíso / swísa]
Uruguayen/ **Uruguayenne**	*Uruguayo/* *Uruguaya*	[ourougwáyo / ourougwáya]
Vénézuélien/ **Vénézuélienne**	*Venezolano/* *Venezolana*	[benesoláno / benesolána]

> ✱ Le mot *boleto* signifie « billet » (peu importe le type) : billet de transport en commun, billet d'avion, billet pour un concert ou pour une représentation quelconque. ✱

FORMALITÉS D'ENTRÉE
FORMALIDADES DE ENTRADA

l'ambassade	*la embajada*	[la embaHáda]
bagages	*equipajes*	[ekipáHes]
carte de tourisme	*tarjeta de turismo*	[tarHéta de tourísmo]
citoyen	*ciudadano*	[sioudadáno]
le consulat	*el consulado*	[el konsouládo]
douane	*aduana*	[adwána]
immigration	*inmigración*	[inmigrasión]
passeport	*pasaporte*	[pasapórte]
sac	*bolso*	[bólso]
valise	*valija / maleta*	[balíHa / maléta]
visa	*visa*	[bísa]

Votre passeport, s'il vous plaît.
Su pasaporte, por favor.
[soú pasapórte / por fabór]

Combien de temps allez-vous séjourner au pays ?
¿ Cuánto tiempo estará en el país ?
[kwánto tiémpo estará en el pays]

Trois jours	*Tres días*	[trés días]
Une semaine	*Una semana*	[oúna semána]
Un mois	*Un mes*	[oún més]

Avez-vous un billet de retour ?
¿ Tiene usted un billete de vuelta ?
[tiéne ousté oún biyéte de bwélta]

Quelle sera votre adresse dans le pays?
¿ Cuál será su dirección en el país?
[kouál será soú direksión en el pays]

Voyagez-vous avec des enfants?
¿ Viaja usted con niños?
[biáHa ousté kon nígnos]

Voici le consentement de sa mère (de son père).
He aquí el permiso de su madre (de su padre).
[e akí el permíso de soú mádre / de soú pádre]

Je ne suis qu'en transit.
Sólo estoy de pasada.
[sólo estóy de pasáda]

Je suis en voyage d'affaires.
Estoy en viaje de negocios.
[estóy en biáHe de negósios]

Je suis en vacances.
Estoy de vacaciones.
[estóy de bakasiónes]

Pouvez-vous ouvrir votre sac, s'il vous plaît?
¿ Puede usted abrir su bolso, por favor?
[pwéde ousté abrír soú bólso / por fabór]

Je n'ai rien à déclarer.
Yo no tengo nada que declarar.
[yo no téngo náda ke deklarár]

L'AÉROPORT
EL AEROPUERTO

autobus	*autobús /* *camión (Mexique) /* *guagua (Cuba)*	[aoutoboús / kamyón / gwágwá]
avion	*avión*	[abión]
bateau	*barco*	[bárko]
taxi	*taxi*	[táksi]
train	*tren*	[trén]
voiture	*automóvil /* *auto / carro /* *máquina*	[aoutomóbil / áouto / karo / mákina]
voiture de location	*automóvil / auto /* *carro / máquina* *de alquiler*	[aoutomóbil / áouto / karo / mákina / de alkilér]
office de tourisme	*oficina* *de turismo*	[ofisína de tourísmo]
renseignements touristiques	*información* *turística*	[información tourístika]

J'ai perdu une valise.
He perdido una maleta.
[e perdído oúna maléta]

J'ai perdu mes bagages.
He perdido mi equipaje.
[e perdído mi ekipáHe]

Je suis arrivé sur le vol n°... de...
Llegué en el vuelo no... de...
[yegué :nel bwélo noúmero... de...]

Je n'ai pas encore eu mes bagages.
Todavía no he recibido mi equipaje.
[todabía no e resibído mi ekipáHe]

Y a-t-il un bus qui se rend au centre-ville ?
¿ Hay un autobús que va al centro de la ciudad ?
[áy un aoutoboús ke bá:l séntro de la sioudá]

Où le prend-on ?
¿ Dónde se toma ?
[dónde se tóma]

Quel est le prix du billet ?
¿ Cuánto vale el billete (el tiquet) ?
[kwánto bále:l biyéte / el tíket]

Est-ce que ce bus va à ... ?
¿ Ese bus va a ... ?
[ése boús ba:]

Combien de temps faut-il pour se rendre à l'aéroport ?
¿ Cuánto tiempo se necesita para ir al aeropuerto
[kwánto tiémpo se nesesíta pára ir al aeropwérto]

Combien de temps faut-il pour se rendre au centre-ville ?
¿ Cuánto tiempo se necesita para ir al centro de la ciudad ?
[kwánto tiémpo se nesesíta pára ir al séntro de la sioudá]

Combien faut-il payer ?
¿ Cuánto cuesta ?
[kwánto kwésta]

Où prend-on le taxi ?
¿ Dónde se toma el taxi ?
[dónde se tóma:l táksi]

Combien coûte le trajet pour... ?
¿ Cuánto cuesta el trayecto para ir a ?
[kwánto kwésta el trayékto pára ir a...]

Où peut-on louer une voiture ?
¿ Dónde se puede alquilar un auto ?
[dónde se pwéde alkilár oún aoúto]

Est-ce qu'on peut réserver une chambre d'hôtel depuis l'aéroport ?
¿ Se puede reservar una habitación de hotel desde el aeropuerto ?
[se pwéde reserbár oúna:bitasión de otél désde:l aeropwérto]

Y a-t-il un hôtel à l'aéroport ?
¿ Hay un hotel en el aeropuerto ?
[áy oún otél en el aeropwérto]

Où peut-on changer de l'argent ?
¿ Dónde se puede cambiar dinero ?
[dónde se pwéde kambiár dinéro]

Où sont les bureaux de... ?
¿ Dónde se encuentran las oficinas de... ?
[dónde se:nkwéntran las ofisínas de...]

TRANSPORTS
TRANSPORTES

· ·

Les transports en commun – *El transporte colectivo*

bus	*bus / autobús / camión (Mexique) / guagua (Cuba)*	[boús / aoutoboús / kamyón / gwágwá]
car	*autocar*	[aoutokár]
métro	*metro*	[métro]
train	*tren*	[trén]
air conditionné	*aire acondicionado*	[áyre akondisyonádo]

Français	Español	Phonétique
aller-retour	*ida y vuelta*	[ída i bwélta]
départ	*partida*	[partída]
arrivée	*llegada*	[yegáda]
billet	*billete / tíquet*	[biyéte / tíket]
gare	*estación (de trenes / de bus)*	[estasión de trénes / de boús]
place numérotée	*asiento numerado*	[asiénto noumerádo]
siège réservé	*asiento reservado*	[asiénto reserbádo]
terminal routier	*terminal, estación*	[terminál / estasión]
quai	*andén / muelle*	[andén / mwéye]
vidéo	*video*	[bidéo]
wagon-restaurant	*vagón-restaurante*	[bagón-restaouránte]
wagon-lit (couchette)	*coche-cama*	[kótche káma]

Où peut-on acheter les billets ?
¿ Dónde se puede comprar los billetes (tíquetes) ?
[dónde se pwéde komprár los biyétes / tíketes]

Quel est le tarif pour... ?
¿ Cuánto cuesta el billete para... ?
[kwánto kwésta el biyéte pára...]

Quel est l'horaire pour... ?
¿ Cuál es el horario para... ?
[kwál es el orário pára...]

Y a-t-il un tarif pour enfants?
¿ Hay un precio para niños?
[áy oún présio pára nígnos]

À quelle heure part le train pour...?
¿ A qué hora sale el tren para...?
[a ke óra sále:l trén pára...]

À quelle heure arrive le bus de...?
¿ A qué hora llega el bus de...?
[a ke óra yéga el boús de...]

Est-ce que le café est servi à bord?
¿ Se sirve café abordo?
[se sírbe kafé:n abordo]

Un repas léger est-il servi à bord?
¿ Se sirve una comida ligera abordo?
[se sírbe oúna komída lihéra abordo]

Le repas est-il inclus dans le prix du billet?
¿ La comida está incluida en el precio del billete?
[la komída está inklwída en el présio del biyéte]

De quel quai part le train pour...?
¿ De cuál andén sale el tren para...?
[de kwál andén sále:l trén pára...]

Où met-on les bagages?
¿ Dónde ponemos el equipaje?
[dónde ponémos el ekipáHe]

Excusez-moi, vous occupez ma place.
¿ Discúlpeme, usted ocupa mi asiento.
[diskúlpeme ousté okoúpa mi asiénto]

À quelle gare sommes-nous?
¿ En qué estación estamos?
[en ké estasión estámos]

Est-ce que le train s'arrête à… ?
¿ El tren para en… ?
[el trén pára:n]

Métro – *Metro*

Quelle est la station la plus proche ?
¿ Cuál es la estación más cercana ?
[kwál es la estasión más serkána]

Combien coûte un billet ?
¿ Cuánto cuesta un billete ?
[kwánto kwésta un biyéte]

Y a-t-il des carnets de billets ?
¿ Hay talonarios de billetes ?
[áy talonários de biyétes]

Y a-t-il des cartes pour la journée ? pour la semaine ?
¿ Hay tarjetas por un día ? una semana ?
[áy tarHétas por oún día / oúna semána]

Quelle direction faut-il prendre pour aller à… ?
¿ Qué dirección hay que tomar para ir a… ?
[ke direksión áy que tomár pára ir a…]

Est-ce qu'il faut prendre une correspondance ?
¿ Hay que hacer una correspondencia (un cambio de…) ?
[áy ke asér oúna korespondénsia / oún kambio]

Avez-vous un plan du métro ?
¿ Tiene usted un plano del metro ?
[Tiéne ousté oún pláno del métro]

À quelle heure ferme le métro ?
¿ A qué hora cierra el metro ?
[a ke óra siéra el métro]

La conduite automobile – *El automóvil*

ici	*aquí*	[akí]
là	*ahí / allí*	[aí / ayí]
avancer	*avanzar*	[abansár]
reculer	*retroceder*	[retrosedér]
tout droit	*derecho/ derechito*	[derétcho / derétchito]
à gauche	*a la izquierda*	[a la iskiérda]
à droite	*a la derecha*	[a la derétcha]
feux de circulation	*semáforos*	[semáforos]
feu rouge	*luz roja*	[loús róHa]
feu vert	*luz verde*	[loús bérde]
feu jaune	*luz amarilla*	[loús amaríya]
aux feux de circulation	*a las señales de tránsito*	[a las segnáles de tránsito]
carrefour	*esquina*	[eskína]
carrefour giratoire	*rotonda*	[rotónda]
sens unique	*sentido único / una sola dirección*	[sentído oúniko / oúna sóla direksión]
sens interdit	*sentido prohibido / dirección prohibida*	[sentído proybído / direksión proybída]
faites trois kilomètres	*haga tres kilómetros*	[ága trés kilómetros]
la deuxième à droite	*la segunda a la derecha*	[la segúnda a la derétcha]
la première à gauche	*la primera a la izquierda*	[la priméra a la iskiérda]

autoroute à péage	*autopista de peaje*	[aoutopísta de peáHe]
route non revêtue	*carretera sin asfaltar*	[karetéra sin asfaltár]
rue piétonne	*calle peatonal*	[káye peatonál]

> * Si vous voulez prendre un taxi en Argentine, ne dites pas *coger un taxi* parce que le verbe *coger* (prendre) signifie « avoir des relations sexuelles ». Vous devez dire *agarrar un taxi* ou *tomar un taxi*. *

Location – *Alquiler*

Je voudrais louer une voiture.
Quisiera alquilar un carro.
[kisiéra alkilár oún karo]

En avez-vous à transmission automatique ?
¿ Tiene uno de transmisión automática ?
[tiéne oúno de transmisyón aoutomátika]

En avez-vous à embrayage manuel ?
¿ Tiene uno de embriague manual ?
[tiéne oúno de embriágue manouál]

Quel est le tarif pour une journée ?
¿ Cuánto cuesta por un día ?
[kwánto kwésta por oún día]

Quel est le tarif pour une semaine ?
¿ Cuánto cuesta por una semana ?
[kwánto kwésta por oúna semána]

Est-ce que le kilométrage est inclus ?
¿ El kilometraje está incluido ?
[el kilometráHe está inklwído]

Combien coûte l'assurance ?
¿ Cuánto cuesta el seguro ?
[kwánto kwésta el segoúro]

Y a-t-il une franchise collision ?
¿ Hay una penalidad por accidente / por choque ?
[áy oúna penalidad por accidente / por tchóke]

J'ai une réservation.
Tengo una reservación.
[téngo oúna reserbasión]

J'ai un tarif confirmé par le siège social.
Tengo un precio confirmado por la compañia.
[téngo oún présio konfirmádo por la kompagnía]

Mécanique – *Mecánica*

antenne	*antena*	[anténa]
antigel	*anticongelante*	[antikonhelánte]
avertisseur	*avisador / bocina*	[abisadór / bosína]
boîte à gants	*guantera*	[wantéra]
cassette	*casete*	[kaséte]
chauffage	*calefacción*	[kalefaksión]
clé	*llave*	[yábe]
clignotants	*intermitente*	[interminténte]

climatisation	*climatización*	[klimatisasyón]
coffre	*maletero / guarda maletas*	[maletéro / gouárda malétas]
démarreur	*arranque*	[aranke]
diesel	*diesel*	[dyésel]
eau	*agua*	[ágwa]
embrayage	*embriague*	[embriágue]
essence	*gasolina / petróleo*	[gasolína / petróleo]
essence sans plomb	*gasolina sin plomo*	[gasolína sin plómo]
essuie-glace	*limpiaparabrisas*	[límpiaparabrisas]
filtre à huile	*filtro de aceite*	[fíltro de aséyte]
frein à main	*freno de mano*	[fréno de máno]
freins	*frenos*	[frénos]
fusibles	*fusibles*	[fousíbles]
glaces électriques	*cristales eléctricos*	[kristáles eléktrikos]
huile	*aceite*	[aséyte]
levier de changement de vitesse	*palanca de velocidad*	[palánka de velósida]
pare-brise	*parabrisa*	[parabrísa]
pare-chocs	*parachoques*	[paratchóke]
pédale	*pedal*	[pedál]
phare	*faro / luz*	[fáro / loús]
pneu	*neumático / goma / llanta*	[neoumátiko / góma / yánta]

portière avant (arrière)	*puerta / portezuela de delante (de atrás)*	[pwérta / porteswéla / de delánte / de atrás]
radiateur	*radiador*	[radiadór]
radio	*la radio*	[la rádio]
rétroviseur	*retrovisor*	[retrobisór]
serrure	*cerradura*	[seradúra]
siège	*asiento*	[asiénto]
témoin lumineux	*piloto*	[pilóto]
toit ouvrant	*techo abrible*	[tétcho abríble]
ventilateur	*ventilador*	[bentiladór]
volant	*volante / timón*	[bolánte / timón]
aceite	**huile**	[aséyte]
agua	**eau**	[ágwa]
antena	**antenne**	[anténa]
anticongelante	**antigel**	[antikonhelánte]
arranque	**démarreur**	[aranke]
avisador / bocina	**avertisseur**	[abisadór / bosína]
calefacción	**chauffage**	[kalefaksión]
casete	**cassette**	[kaséte]
cerradura	**serrure**	[seradúra]
climatización	**climatisation**	[klimatisasyón]
cristales eléctricos	**glaces électriques**	[kristáles eléktrikos]
diesel	**diesel**	[dyésel]
embriague	**embrayage**	[embriágue]

faro / luz	**phare**	[fáro / loús]
filtro de aceite	**filtre à huile**	[fíltro de aséyte]
frenos	**freins**	[frénos]
freno de mano	**frein à main**	[fréno de máno]
fusibles	**fusibles**	[fousíbles]
gasolina / petróleo	**essence**	[gasolína / petróleo]
gasolina sin plomo	**essence sans plomb**	[gasolína sin plómo]
guantera	**boîte à gants**	[wantéra]
intermitente	**clignotants**	[intermiténte]
limpiaparabrisas	**essuie-glace**	[límpiaparabrisas]
llave	**clé**	[yábe]
maletero / guarda maletas	**coffre**	[maletéro / gouárda malétas]
neumático / goma / llanta	**pneu**	[neoumátiko / góma / yánta]
palanca de velocidad	**levier de change-ment de vitesse**	[palánka de velósida]
parabrisa	**pare-brise**	[parabrísa]
parachoques	**pare-chocs**	[paratchóke]
pedal	**pédale**	[pedál]
piloto	**témoin lumineux**	[pilóto]
puerta / portezuela de adelante (de atrás)	**portière avant (arrière)**	[pwérta / porteswéla de adelánte / de atrás]
radiador	**radiateur**	[radiadór]
la radio	**radio**	[la rádio]

retrovisor	**rétroviseur**	[retrobisór]
techo abrible	**toit ouvrant**	[tétcho abíble]
timón	**volant**	[timón]
ventilador	**ventilateur**	[bentiladór]
volante	**volant**	[bolánte]

Faire le plein – *Echar gasolina, petróleo*

Le plein, s'il vous plaît.
Llene el tanque (depósito), por favor.
[yéne:l tánke / depósito / por fabór]

Mettez-en pour 50 pesos.
Eche por 50 pesos.
[étche por cinkwenta pésos]

Pouvez-vous vérifier la pression des pneus ?
¿ Puede verificar la presión de los neumáticos ?
[pwéde berifikár la presión de los neoumátikos]

Acceptez-vous les cartes de crédit ?
¿ Acepta usted tarjetas de crédito ?
[asépta usté tarHétas de krédito]

SANTÉ
SALUD
....

hôpital	*hospital*	[ospitál]
pharmacie	*farmacia*	[farmásia]
médecin	*médico*	[médiko]
dentiste	*dentista*	[dentísta]

J'ai mal...	*Tengo un dolor...*	[téngo oún dolór]
à l'abdomen	*en el abdomen*	[en el abdómen]
aux dents	*de diente*	[de diénte]
au dos	*de espalda*	[de:spálda]
à la gorge	*de garganta*	[de gargánta]
au pied	*en el pie*	[en:l pié]
à la tête	*de cabeza*	[de kabésa]
au ventre	*de barriga*	[de baríga]
Je suis constipé.	*Estoy constipado.*	[estóy konstipádo]
J'ai la diarrhée.	*Tengo diarrea.*	[téngo diárea]
Je fais de la fièvre.	*Tengo fiebre.*	[téngo fiébre]
Mon enfant fait de la fièvre.	*Mi hijo tiene fiebre.*	[mi:iHo tiéne fiébre]
J'ai la grippe.	*Tengo gripe.*	[téngo grípe]

Je voudrais renouveler cette ordonnance.
Quisiera renovar esta prescripción.
[kisiéra renobár ésta preskripsyón]

Avez-vous des médicaments contre le mal de tête ?
¿ Tiene medicamentos para el dolor de cabeza ?
[tiéne medikaméntos pára el dolór de kabésa]

Avez-vous des médicaments contre la grippe ?
¿ Tiene medicamentos para la gripe ?
[tiéne medikaméntos pára la grípe]

| Je voudrais... | *Desearía...* | [desearía] |
| des préservatifs | *preservativos* | [preserbatíbos] |

de la crème solaire	*una crema para el sol*	[oúna kréma pára:l sól]
un insectifuge	*un antiinsectos*	[oún anti:nséktos]
un collyre	*un colirio*	[oún kolírio]
du baume pour les piqûres d'insecte	*...una pomada para las picaduras de insectos*	[pomáda pára las pikádoúras de inséktos]
un médicament contre la malaria	*...un medicamento contra la malaria*	[medikaménto kóntra la malária]
une solution nettoyante (mouillante) pour verres de contact souples (rigides)	*...una solución para limpiar (mojar) los lentes de contacto suaves (rígidos)*	[oúna solousión pára limpiár / moHár / los léntes de kontákto swábes / rígidos]

URGENCES
URGENCIAS

Au feu!	*¡Fuego!*	[fwégo]
Au secours!	*¡Auxilio!*	[aousílio]
Au voleur!	*¡Un ladrón!*	[oún ladrón]
On m'a agressé.	*Me agredieron.*	[me agrediéron]
On m'a volé.	*Me robaron.*	[me robáron]

Pouvez-vous appeler la police? l'ambulance?
¿Puede usted llamar a la policía? ¿la ambulancia?
[pwéde ousté yamar a la polisía / l:anbulánsia?]

Où est l'hôpital?
¿Dondé está el hospital?
[dónde está el ospitál]

Pouvez-vous me conduire à l'hôpital ?
¿ Puede llevarme al hospital ?
[pwéde yebármé al ospitál]

On a volé nos bagages dans la voiture.
Se robaron nuestro equipaje del carro.
[se robáron nwéstro equipáHe del karo]

On a volé mon portefeuille.
Me robaron la cartera.
[me robáron la kartéra]

Ils avaient une arme.
Tenían un arma.
[tenían oún árma]

Ils avaient un couteau.
Tenían un cuchillo.
[tenían oún koutchíyo]

> ✳ Le long des autoroutes, vous verrez inscrit sur les panneaux indicateurs le mot *cuota* ou *libre* après le nom de la ville. Le mot *cuota* indique une route à péage, alors que le mot *libre* signifie une route sans péage, généralement plus longue et sinueuse, et dont le pavé est parfois en mauvais état. Aux postes de péage, on remet le change et vous pourrez souvent payer avec une carte de crédit. ✳

ARGENT
DINERO

....

banque	*banco*	[bánko]
bureau de change	*oficina de cambio*	[ofisína de kámbio]

Quel est le taux de change pour le dollar canadien ?
¿ Cuál es el cambio para el dólar canadiense ?
[kwál es el kámbio pára el dólar kanadiénse]

dollar américain	*dólar americano*	[dólar amerikáno]
euro	*euro*	[éouro]
franc suisse	*franco suizo*	[fránko swíso]

Je voudrais changer des dollars américains (canadiens).
Quisiera cambiar dólares americanos (canadienses).
[kisiéra kambiár dólares amerikános / kanadiénses]

Je voudrais changer (encaisser) des chèques de voyage.
Quisiera cambiar cheques de viaje.
[kisiéra kambiár tchékes de biáHe]

Je voudrais obtenir une avance de fonds sur ma carte de crédit.
Quisiera un avance de fondos de mi tarjeta de crédito.
[kisiéra oún abánse de fóndos de mi tarHéta de krédito]

**Où peut-on trouver un guichet automatique
(un distributeur de billets) ?**
¿ Dónde se puede encontrar un cajero automático ?
[dónde se pwéde:nkontrár oún kaHéro aoutomátiko]

POSTE ET TÉLÉPHONE
CORREO Y TELÉFONO

....

courrier rapide	*correo rápido*	[koréo rápido]
par avion	*por avión*	[por abión]
poids	*peso*	[péso]
timbres	*sellos /* *estampillas*	[séyos / estampiyas]

Où se trouve le bureau de poste ?
¿ Dónde se encuentra el correo ?
[dónde se:nkwéntra el koréo]

**Combien coûte l'affranchissement d'une carte postale
pour le Canada ?**
¿ Cuánto cuesta un sello para una tarjeta a Canadá ?
[kwánto kwésta oún séyo pára oúna tarHéta a kanadá]

Combien coûte l'affranchissement d'une lettre pour le Canada ?
¿ Cuánto cuesta un sello para una carta a Canadá ?
[kwánto kwésta oún séyo pára oúna kárta a kanadá]

Où se trouve le bureau des téléphones ?
¿ Dónde está la oficina de teléfonos ?
[dónde está la ofisína de teléfonos]

Où se trouve la cabine téléphonique la plus près ?
¿ Dónde está la cabina de teléfono más cerca ?
[dónde está la kabína de teléfono mas sérka]

Que faut-il faire pour placer un appel local ?
¿ Cómo se puede hacer una llamada local ?
[kómo se pwéde asér oúna yamáda lokál]

Que faut-il faire pour appeler au Canada ?
¿ Cómo se puede hacer una llamada a Canadá ?
[kómo se pwéde asér oúna yamáda a kanadá]

Je voudrais acheter une carte de téléphone.
Quisiera comprar una tarjeta de teléfono.
[kisiéra komprár oúna tarHéta de teléfono]

J'aimerais avoir de la monnaie pour téléphoner.
Desearía tener menudo (cambio) para hacer una llamada.
[desearía tenér menoúdo / kámbio / pára asér úna yamáda]

Comment les appels sont-ils facturés à l'hôtel ?
¿ Cómo son facturadas las llamadas en el hotel ?
[kómo son faktourádas las yamádas en el otél]

J'appelle Canada Direct, c'est un appel sans frais.
Llamo a "Canada Direct", es una llamada sin costo.
[yámo a "kanadá dirékt" es oúna yamáda sin kósto]

Je voudrais envoyer un fax.
Quisiera enviar un fax.
[kisiéra embiár oún fáks]

Avez-vous reçu un fax pour moi ?
¿ Recibió un fax para mí ?
[resibió oún fáks pára mí]

ÉLECTRICITÉ
ELECTRICIDAD
....

Où puis-je brancher mon rasoir ?
¿ Dónde puedo conectar mi máquina de afeitar ?
[dónde pwédo konektár mi mákina de aféytar]

L'alimentation est-elle de 220 volts ?
¿ La corriente es de 220 voltios ?
[la koriénte es de dosientos béynte voltios]

La lampe ne fonctionne pas.
La lámpara no funciona.
[la lámpara no founsióna]

3 Renseignements généraux

Où puis-je trouver des piles pour mon réveil ?
¿ Dónde puedo comprar pilas para mi despertador ?
[dónde pwédo konprár pílas pára mi despertadór]

Est-ce que je peux brancher mon ordinateur ici ?
¿ Puedo conectar mi ordenador aquí ?
[pwédo konektár mi ordenadór akí]

Y a-t-il une prise téléphonique pour mon ordinateur ?
¿ Hay una toma teléfonica para mi ordenador ?
[áy oúna tóma telefónika pára mi ordenadór]

MÉTÉO
TIEMPO

la pluie	*la lluvia*	[la youbya]
le soleil	*el sol*	[el sól]
le vent	*el viento*	[el biénto]
la neige	*la nieve*	[la niébe]
Il fait chaud.	*Hace calor.*	[áse kalór]
Il fait froid.	*Hace frío.*	[áse frío]
ensoleillé	*soleado*	[soléado]
nuageux	*nublado*	[noubládo]
pluvieux	*lluvioso*	[youbyóso]
Est-ce qu'il pleut ?	*¿ Llueve ?*	[ywébe]
Va-t-il pleuvoir ?	*¿ Va a llover ?*	[ba:yobér]
Prévoit-on de la pluie ?	*¿ Hay probabilidad de lluvia ?*	[áy probabilidá de youbya]

la lluvia	**la pluie**	[la yoúbya]
el sol	**le soleil**	[el sól]
el viento	**le vent**	[el biénto]
la nieve	**la neige**	[la niébe]
Hace calor.	**Il fait chaud.**	[áse kalór]
Hace frío.	**Il fait froid.**	[áse frío]
soleado	**ensoleillé**	[soléado]
nublado	**nuageux**	[noubládo]
lluvioso	**pluvieux**	[youbyóso]
¿Llueve?	**Est-ce qu'il pleut?**	[ywébe]
¿Va a llover?	**Va-t-il pleuvoir?**	[ba:yobér]
¿Hay probabilidad de lluvia?	**Prévoit-on de la pluie?**	[áy probabilidá de youbya]

Quel temps fera-t-il aujourd'hui?
¿Qué tiempo hará hoy?
[ke tiémpo ará óy]

Comme il fait beau!
¡Qué buen tiempo hace!
[ke bwén tiémpo áse]

Comme il fait mauvais!
¡Qué mal tiempo!
[ke mal tiémpo]

Comme il fait humide!
¡Qué húmedo que está!
[Ke oúmedo ke está]

FÊTES ET FESTIVALS
FIESTAS Y FESTIVALES

le jour de Noël	*el día de Navidad*	[día de navidá]
le jour de l'An	*Año Nuevo*	[ágno nwébo]
le jour des Rois	*el día de Reyes*	[el día de réyes]
le Mardi gras	*Martes de carnaval*	[martes de karnabál]
le mercredi des Cendres	*el miércoles de ceniza*	[el miérkoles de senísa]
le Vendredi saint	*el viernes santo*	[el viérnes sánto]
la Semaine sainte	*la semana santa*	[la semána sánta]
le jour de Pâques	*el día de Pascua*	[el día de páskwa]
la fête des Travailleurs	*el día de los trabajadores*	[el día de los trabaHadóres]
la fête des Mères	*el día de las Madres*	[el día de las mádres]
la fête des Pères	*el día de los Padres*	[el día de los pádres]
la fête nationale	*la fiesta nacional*	[la fiésta nasionál]
la fête du Travail	*la fiesta del Trabajo*	[la fiésta del trabáHo]
l'Action de grâce	*la Acción de gracia*	[la:ksyón de grásya]
le jour de la Race	*el Día de la raza*	[el día de la rása]
le jour du drapeau	*el día de la bandera*	[el día de la bandéra]
le jour de l'Indépendance	*el día de la independencia*	[el día de la independénsia]

el día de Navidad	**le jour de Noël**	[el día de navidá]
Año Nuevo	**le jour de l'An**	[ágno nwébo]
el día de Reyes	**le jour des Rois**	[el día de réyes]
carnavales	**le Mardi gras**	[karnabáles]
el miércoles de ceniza	**le mercredi des Cendres**	[el miérkoles de senísa]
el día de Pascua	**le jour de Pâques**	[el día de páskwa]
el viernes santo	**le Vendredi saint**	[el viérnes sánto]
el día de los trabajadores	**la fête des Travailleurs**	[el día de los trabaHadóres]
el día de las Madres	**la fête des Mères**	[el día de las mádres]
el día de los Padres	**la fête des Pères**	[el día de los pádres]
la fiesta nacional	**la fête nationale**	[la fiésta nasionál]
la fiesta del Trabajo	**la fête du Travail**	[la fiésta del trabáHo]
la Acción de gracia	**l'Action de grâce**	[la:ksyón de grásya]
el Día de la raza	**le jour de la Race**	[el día de la rása]
el día de la bandera	**le jour du drapeau**	[el día de la bandéra]
le jour de l'Indépendance	**el día de la independencia**	[el día de la independénsia]

ATTRAITS TOURISTIQUES

ATTRAITS TOURISTIQUES
ATRACCIONES TURÍSTICAS

l'aéroport	*el aeropuerto*	[el aeropouérto]
la cascade	*la cascada*	[la kaskáda]
la cathédrale	*la catedral*	[la katedrál]
le centre-ville	*el centro de la ciudad*	[el séntro de la sioudá]
le centre historique	*el centro histórico*	[el séntro istóriko]
la chute	*la caída el salto de agua la catarata*	[la kaída / el sálto de ágwa / la kataráta]
l'édifice	*el edificio*	[el edifísio]
l'église	*la iglesia*	[la iglésia]
le funiculaire	*el funicular*	[el founikoulár]
la forteresse	*la fortaleza*	[la fortalésa]
l'hôtel de ville	*el ayuntamiento la alcaldía*	[ahountamyéento / la:lkaldía]
la fontaine	*la fuente*	[la fwénte]
le fort	*el fuerte*	[el fwérte]

le lac	el lago	[el lágo]
la lagune	la laguna	[la lagúna]
la maison	la casa	[la kása]
le manoir	la villa / la casona	[la bíya / la kasóna]
le marché	el mercado	[el merkádo]
la marina	la marina	[la marína]
la mer	el mar / la mar	[el már / la már]
le monastère	el monasterio	[el monastério]
le monument	el monumento	[el monouménto]
le musée	el museo	[el mouséo]
le palais de justice	el palacio de justicia	[el palásio de Houstísia]
le parc	el parque	[el párke]
le parc d'attractions	el parque de atracciones	[el párke de atraksiónes]
la piscine	la piscina	[la pisína]
la place centrale	la plaza central	[la plása sentrál]
la plage	la playa	[la pláya]
le pont	el puente	[el pwénte]
le port	el puerto	[el pwérto]
la promenade	la caminata / el paseo	[la kamináta / el paséo]
la pyramide	la pirámide	[la pirámide]
la rivière	el río	[el río]
les ruines	las ruinas	[las rwínas]

le site archéologique	el centro arqueológico	[el séntro arkeolóHiko]
le stade	el estadio	[el estádio]
la statue	la estatua	[la estátoua]
le téléférique	el teleférico	[el telefériko]
le temple	el templo	[el témplo]
le théâtre	el teatro	[el teátro]
le tunnel	el túnel	[el toúnel]
le vieux centre	el centro antiguo	[el séntro antígwo]
le vieux port	el puerto viejo	[el pwérto biéHo]
le zoo	el zoológico	[el so:lóhiko]

el aeropuerto	l'aéroport	[el aeropouérto]
el ayuntamiento / la alcadia	l'hôtel de ville	[ahountamyénto / la:lkaldía]
la caída	la chute	[la kaída]
la caminata	la promenade	[la kamináta]
la casa	la maison	[la kása]
la cascada	la cascade	[la kaskáda]
la casona	le manoir	[la kasóna]
la catarata	la chute	[kataráta]
la catedral	la cathédrale	[la katedrál]
el centro antiguo	le vieux centre	[el séntro antígwo]
el centro arqueológico	le site archéologique	[el séntro arkeolóHiko]

el centro de la ciudad	**le centre-ville**	[el séntro de la sioudá]
el centro histórico	**le centre historique**	[el séntro istóriko]
el edificio	**l'édifice**	[el edifísio]
el estadio	**le stade**	[el estádio]
la estatua	**la statue**	[la estátoua]
la fortaleza	**la forteresse**	[la fortalésa]
la fuente	**la fontaine**	[la fwénte]
el fuerte	**le fort**	[el fwérte]
el funicular	**le funiculaire**	[el founikoulár]
la iglesia	**l'église**	[la iglésia]
el lago	**le lac**	[el lágo]
la laguna	**la lagune**	[la lagúna]
la marina	**la marina**	[la marína]
el mar	**la mer**	[el már]
el mercado	**le marché**	[el merkádo]
el monasterio	**le monastère**	[el monastério]
el monumento	**le monument**	[el monouménto]
el museo	**le musée**	[el mouséo]
el palacio de justicia	**le palais de justice**	[el palásio de Houstísia]
el parque	**le parc**	[el párke]
el parque de atracciones	**le parc d'attractions**	[el párke de atraksiónes]
la piscina	**la piscine**	[la pisína]

el paseo	la promenade	[el paséo]
la playa	la plage	[la pláya]
la plaza central	la place centrale	[la plása sentrál]
el puente	le pont	[el pwénte]
el puerto	le port	[el pwérto]
la pirámide	la pyramide	[la pirámide]
el río	la rivière	[el río]
las ruinas	les ruines	[las rwínas]
el salto de agua	la chute	[sálto de ágwa]
el teatro	le théâtre	[el teátro]
el teleférico	le téléférique	[el telefériko]
el templo	le temple	[el témplo]
el túnel	le tunnel	[el toúnel]
el viejo puerto	le vieux port	[el biéHo pwérto]
la villa	le manoir	[la bíya]
el zoológico	le zoo	[el so:lóhiko]

* Le mot *centro* signifie « centre-ville ». Si la ville dont on parle est une ancienne ville coloniale, on désignera alors son centre-ville (où se trouve invariablement la cathédrale) du nom de *centro histórico*. *

Au musée – *En el museo*

anthropologie	*antropología*	[antropoloHía]
antiquités	*antigüedades*	[antigwedádes]
archéologie	*arqueología*	[arkeoloHía]
architecture	*arquitectura*	[arkitektoúra]
art africain	*arte africano*	[árte afrikáno]
art asiatique	*arte asiático*	[árte asiátiko]
art amérindien	*arte amerindio*	[árte ameríndio]
art précolombien	*arte precolombino*	[árte prekolombíno]
art colonial	*arte colonial*	[árte koloniál]
Art déco	*art decó*	[árt dekó]
Art nouveau	*arte nuevo*	[árte nwébo]
art contemporain	*arte contemporáneo*	[árte kontemporáneo]
art moderne	*arte moderno*	[árte modérno]
arts décoratifs	*artes decorativas*	[ártes dekoratíbas]
collection permanente	*colección permanente*	[koleksión permanénte]
colonisation	*colonización*	[kolonisasión]
exposition temporaire	*exposición temporal*	[eksposisión temporál]
guerre de Sécession	*guerra de Secesión*	[guéra de sesesyón]
guerre d'indépendance	*guerra de independencia*	[guéra de independénsia]

guerres coloniales	*guerras coloniales*	[gué**r**as koloniáles]
impressionnisme	*impresionismo*	[impresionísmo]
nordistes	*nordistas*	[nordístas]
peintures	*pinturas*	[pintoúras]
période hispanique	*periodo hispánico*	[periódo ispániko]
sciences naturelles	*ciencias naturales*	[siensias natouráles]
sculptures	*esculturas*	[eskoultoúras]
sudistes	*sudistas / surdistas*	[soudístas / sourdístas]
urbanisme	*urbanismo*	[ourbanísmo]
XIXᵉ siècle	*siglo diecinueve*	[síglo diesinwébe]
XXᵉ siècle	*siglo veinte*	[síglo béynte]
XXIᵉ siècle	*siglo veintiuno*	[síglo béyntiúno]

antropología	**anthropologie**	[antropoloHía]
antigüedades	**antiquités**	[antigwedádes]
arqueología	**archéologie**	[arkeoloHía]
arquitectura	**architecture**	[arkitektoúra]
art decó	**Art déco**	[árt dekó]
arte africano	**art africain**	[árte afrikáno]
arte amerindio	**art amérindien**	[árte ameríndio]
arte asiático	**art asiatique**	[árte asiátiko]
arte colonial	**art colonial**	[árte koloniál]

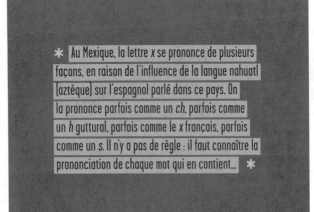

* Au Mexique, la lettre *x* se prononce de plusieurs façons, en raison de l'influence de la langue nahuatl (aztèque) sur l'espagnol parlé dans ce pays. On la prononce parfois comme un *ch*, parfois comme un *h* guttural, parfois comme le *x* français, parfois comme un *s*. Il n'y a pas de règle : il faut connaître la prononciation de chaque mot qui en contient... *****

arte contemporáneo	**art contemporain**	[árte kontemporáneo]
arte moderno	**art moderne**	[árte modérno]
Arte nuevo	**Art nouveau**	[árte nwébo]
arte precolombino	**art précolombien**	[árte prekolombíno]
artes decorativas	**arts décoratifs**	[ártes dekoratíbas]
ciencias naturales	**sciences naturelles**	[siensias natouráles]
colección permanente	**collection permanente**	[koleksión permanénte]
colonización	**colonisation**	[kolonisasión]
esculturas	**sculptures**	[eskoultoúras]
exposición temporal	**exposition temporaire**	[eksposisión temporál]
guerra de Secesión	**guerre de Sécession**	[guéra de sesesyón]
guerra de independencia	**guerre d'indépendance**	[guéra de independénsia]
guerras coloniales	**guerres coloniales**	[guéras koloniáles]
impresionismo	**impressionnisme**	[impresionísmo]
nordistas	**nordistes**	[nordístas]
periodo hispánico	**période hispanique**	[periódo ispániko]
pinturas	**peintures**	[pintoúras]
siglo diecinueve	**XIXe siècle**	[síglo diesinwébe]
siglo veinte	**XXe siècle**	[síglo béynte]

siglo veintiuno	**XXIᵉ siècle**	[síglo béyntiúno]
sudistas / surdistas	**sudistes**	[soudístas / sourdístas]
urbanismo	**urbanisme**	[ourbanísmo]

Où se trouve le centre-ville ?
¿ Dónde se encuentra el centro de la ciudad ?
[dónde se:nkwéntra el séntro de la sioudá]

Où se trouve la vieille ville ?
¿ Dónde se encuentra la ciudad vieja ?
[dónde se:nkwéntra la sioudá biéHa]

Peut-on marcher jusque-là ?
¿ Se puede caminar hasta ahí ?
[se pwéde kaminár ásta aí]

Quel est le meilleur chemin pour se rendre à... ?
¿ Cuál es el mejor camino para llegar a... ?
[kwál es el meHór kamíno par yégar a...]

Quelle est la meilleure façon de se rendre à... ?
¿ Cuál es la mejor manera para llegar a... ?
[kwál es la meHór manéra pára yégar a...]

Combien de temps faut-il pour se rendre à... ?
¿ Cuánto tiempo se necesita para llegar a... ?
[kwánto tiémpo se nesesíta pára yegár a...]

Où prend-on le bus pour le centre-ville ?
¿ Dónde se toma el bus para el centro de la ciudad ?
[dónde se tóma el bús pára el séntro de la sioudá]

Y a-t-il une station de métro près d'ici ?
¿ Hay una estación de metro cerca de aquí ?
[áy oúna estasión de métro sérka de akí]

Avez-vous un plan de la ville ?
¿ Tiene usted un plano de la ciudad ?
[tiéne ousté oún pláno de la syoudá]

Je voudrais un plan avec index.
Quisiera un plano con índice.
[kisiéra oún pláno kon índise]

Combien coûte l'entrée ?
¿ Cuánto cuesta la entrada ?
[kwánto kwésta la entráda]

Y a-t-il un tarif étudiant ?
¿ Hay un precio para estudiantes ?
[áy oún présio pára estoudiántes]

Les enfants doivent-ils payer ?
¿ Los niños deben pagar ?
[los nígnos dében pagár]

Quel est l'horaire du musée ?
¿ Cúal es el horario del museo ?
[kwál es el orário del mouséo]

Avez-vous de la documentation sur le musée ?
¿ Tiene usted documentación sobre el museo ?
[tiéne ousté dokoumentasión sóbre el mouséo]

Est-il permis de prendre des photos ?
¿ Se permite tomar fotos ?
[se permíte tomár fótos]

Où se trouve le vestiaire ?
¿ Dónde se encuentra el vestuario ?
[dónde se enkwéntra el bestwáryo]

Y a-t-il un café ?
¿ Hay un café ?
[áy oún kafé]

4   Attraits touristiques

Où se trouve le tableau de...?
¿Dónde se encuentra el cuadro de...?
[dónde se :nkwéntra el kwádro de...]

À quelle heure ferme le musée?
¿A qué hora cierra el museo?
[a ke óra siéra el mouséo]

ACTIVITÉS DE PLEIN AIR
ACTIVIDADES AL AIRE LIBRE

Où peut-on pratiquer...?
¿Dónde se puede practicar...?
[dónde se pwéde praktikár]

Activités – *Actividades*

l'équitation	*la equitación*	[la ekitasión]
l'escalade	*la escalada*	[la eskaláda]
le badminton	*el badminton*	[el badmintón]
le football	*el fútbol*	[el fútbol]
le golf	*el golf*	[el gólf]
la moto	*la moto*	[la móto]
la motomarine	*la motonáutica*	[la motonáoutika]
la motoneige	*la motonieve*	[la motoniébe]
la natation	*la natación*	[la natasión]
le parachutisme	*el paracaidismo*	[el parakaydísmo]
le parapente	*el parapente*	[parapénte]
la pêche	*la pesca*	[la péska]

la pêche sportive	*la pesca deportiva*	[la péska deportíba]
la planche à voile	*la plancha de vela / tabla de vela*	[la plántcha de béla / tábla de béla]
la plongée sous-marine	*la sumersión / la zambullida*	[la soumersyón / la sambouyída]
la plongée-tuba	*submarinismo*	[soumarinísmo]
le plongeon	*la zambullida*	[la sambouyída]
la randonnée pédestre	*la marcha*	[la mártcha]
le ski alpin	*el esquí de montaña*	[el eskí de montágna]
le ski de fond	*el esquí de fondo*	[el eskí de fóndo]
le ski nautique	*el esquí acuático*	[el eskí akuátiko]
la randonnée à cheval	*la excursión a caballo*	[la escursión a cabáyo]
le surf	*la plancha de surf*	[plántcha de surf]
le tennis	*el tenis*	[el ténis]
le vélo	*la bicicleta*	[la bisikléta]
le vélo de montagne	*la bicicleta de montaña*	[la bisikléta de montágna]
le volley-ball	*el volley-ball*	[el boliból]
la voile	*la vela*	[la béla]

Matériel – *Indumentaria*

la balle	*la pelota*	[la pelóta]
le ballon	*el balón*	[el balón]
le bateau	*el barco*	[el bárko]
les bâtons	*los bates*	[los bátes]

les bâtons de golf	los palos / bates (de golf)	[los pálos / bátes de gólf]
la bicyclette	la bicicleta	[la bisikléta]
la bonbonne d'ogygène	la bomba (de echar aire)	[la bómba (de etchár áire)]
les bottines	los botines	[los botínes]
la cabine	la cabina	[la kabína]
la canne à pêche	la caña de pescar	[la kágna de peskár]
la chaise longue	la silla larga	[la síya lárga]
le filet	la red	[la réd]
le masque	la máscara	[la máskara]
le matelas pneumatique	la balsa	[la bálsa]
les palmes	las palmas	[las pálmas]
le parasol	la sombrilla	[la sombríya]
la planche à voile	la plancha de vela	[la plántcha de béla]
la planche de surf	la plancha de agua	[la plántcha de ágwa]
la raquette	la raqueta	[la rakéta]
le rocher	el arrecife	[el aresífe]
le sable	la arena	[la:réna]
les skis	los esquís	[los eskís]
le surveillant	el vigilante	[el biHilánte]
le voilier	el velero	[el beléro]

La mer – *El mar*

les courants	*las corrientes*	[las koriéntes]
les courants dangereux	*las corrientes peligrosas*	[las koriéntes peligrósas]
la marée basse	*la marea baja*	[la maréa báHa]
la marée haute	*la marea alta*	[la maréa álta]
mer calme	*mar calmado*	[már kalmádo]
mer agitée	*mar agitado*	[már aHitádo]

* Les mets que les Mexicains considèrent comme épicés sont souvent trop piquants pour la plupart des voyageurs étrangers. Ainsi, au restaurant, il vous est recommandé de demander au serveur ou à la serveuse si le plat que vous voulez commander sera peu ou très épicé : *¿ Este platillo pica ?* ou *¿ Este platillo es chiloso ?* ou encore *¿ Tiene mucho chile ?* (« Le mets est-il piquant ? »). Plus simplement, on peut s'en informer en disant seulement, sur un ton interrogatif : *¿ Pica ?* (« Piquant ? »). *

5

COMMODITÉS

HÉBERGEMENT
ALOJAMIENTO

balcon	*balcón*	[balkón]
bar	*bar*	[bár]
bébé	*bebé*	[bebé]
boutiques	*tiendas*	[tyéndas]
bruit	*ruido / bulla*	[rwído / boúya]
bruyant	*ruidoso*	[rwidóso]
la cafetière	*la cafetera*	[la kafetéra]
calme	*calmado*	[kalmádo]
chaise	*silla*	[síya]
chambre avec salle de bain	*habitación con baño*	[abitasión kón bágno]
avec douche	*con ducha*	[kón doútcha]
avec baignoire	*con bañadera*	[kón bagnadéra]
chambre pour une personne	*habitación para una persona*	[abitasión pára oúna persóna]
chambre pour deux personnes	*habitación para dos personas*	[abitasión pára dós persónas]
le chauffage	*la calefacción*	[la kalefaksión]

5 Commodités

la climatisation	*el aire acondicionado / la climatización*	[el áyre acondisionádo la klimatisasyón]
le coffret de sûreté	*la caja de seguridad*	[la káHa de segouridá]
le congélateur	*el congelador*	[el konHeladór]
les couverts	*los cubiertos*	[los koubiértos]
la couverture	*la manta*	[la mánta]
le couvre-lit	*el cubrecama / una sobrecama*	[el koubrekáma / sobrekáma]
cuisinette	*cocinita*	[kosiníta]
divan-lit	*sofá cama*	[sofá káma]
le drap	*la sábana*	[la sábana]
l'eau purifiée	*el agua purificada*	[el ágwa pourifikada]
enfant	*niño*	[nígno]
fenêtre	*ventana*	[bentána]
le fer à repasser	*la plancha eléctrica*	[la plántcha eléktrika]
le four à micro-ondes	*el horno microondas*	[el órno mikro:ndás]
de la glace	*el hielo*	[el iélo]
l'hôtel-appartement (résidence hôtelière)	*el hotel apartamento (hotel residencial)*	[el otél apartaménto / otél residensyál]
intimité	*intimidad*	[intimidá]
le lave-linge	*la lavadora*	[la labadóra]
le lave-vaisselle	*el lavaplatos*	[el lábaplátos]
le lit deux places	*la cama de dos plazas*	[la káma de dós plásas]
lits jumeaux	*las camas separadas*	[las kámas separádas]

la lumière	la luz	[la loús]
minibar	minibar	[minibár]
la nappe	el mantel	[el mantél]
l'oreiller	la almohada	[la almwáda]
piscine	piscina	[pisína]
la planche à repasser	la tabla de planchar	[la tábla de plántchar]
la radio	la radio	[la rádio]
le réfrigérateur	el refrigerador	[el refriheradór]
restaurant	restaurante	[restaouránte]
les rideaux	las cortinas	[las kortínas]
le savon	el jabón	[el Habón]
sèche-cheveux	secador de pelo	[sekadór de pélo]
la serviette	la toalla	[la toáya]
le store	la cortina / el estor	[la kortína / el estór]
studio	estudio	[estoúdyo]
suite	suite	[swít]
table	mesa	[mésa]
la taie d'oreiller	la funda de almohada	[la foúnda de almoáda]
télécopieur	telecopiadora	[telekopyadóra]
téléphone	teléfono	[teléfono]
le téléviseur	el televisor	[el telebisór]
télévision	televisión	[telebisión]
chaîne française	canal francés	[kanál fransés]
le tire-bouchon	el tirabuzón / sacacorchos	[el tirabousón / sákakórtchos]

5 Commodités

la vaisselle	los platos / la vajilla	[los plátos / baHíya]
le ventilateur	el ventilador	[el bentiladór]
vue sur la mer	vista al mar	[vista al már]
vue sur la ville	vista a la ciudad	[vista a la sioudá]
vue sur la montagne	vista a la montaña	[vista a la montágna]

Y a-t-il...	¿ Hay...	[áy]
une piscine ?	una piscina ?	[oúna pisína]
un gymnase ?	un gimnasio ?	[oún Himnásio]
un court de tennis ?	un terreno de tenis ?	[oún teréno de ténis]
un terrain de golf ?	un terreno de golf ?	[oún teréno de gólf]
une marina ?	una marina ?	[oúna marína]

Avez-vous une chambre libre pour cette nuit ?
¿ Tiene usted una habitación libre para esta noche ?
[tiéne ousté oúna abitasión líbre pára ésta nótche]

Quel est le prix de la chambre ?
¿ Cuál es el precio de la habitación ?
[kwál es el présio de l:abitasión]

La taxe est-elle comprise ?
¿ El impuesto está incluido en el precio ?
[el impwésto está inklwído en el présio]

Nous voulons une chambre avec salle de bain.
Queremos una habitación con baño.
[kerémos oúna abitasión kon bagno]

Le petit déjeuner est-il compris?
¿El desayuno está incluido?
[el desayoúno está inklwído]

Avez-vous des chambres moins chères?
¿Tiene usted habitaciones menos caras?
[tiéne ousté abitasiónes ménos káras]

Pouvons-nous voir la chambre?
¿Podemos ver la habitación
[podémos vér la:bitasión]

Je la prends.
La tomo.
[la tómo]

J'ai une réservation au nom de...
Tengo una reservación a nombre de...
[téngo oúna reserbasión a nómbre de...]

On m'a confirmé le tarif de...
Se me ha confirmado la tarifa de...
[se me a konfirmádo la tarífa de...]

Est-ce que vous acceptez les cartes de crédit?
¿Acepta usted tarjeta de crédito?
[asépta ousté tarHéta de krédito]

Est-il possible d'avoir une chambre plus calme?
¿Es posible tener una habitación más tranquila?
[es posíble tenér oúna abitasión más trankíla]

Où pouvons-nous garer la voiture?
¿Dónde podemos (estacionar / parquear) el carro?
[dónde podémos estasionár el káro]

Quelqu'un peut-il nous aider à monter nos bagages?
¿Alguien puede ayudarnos a subir nuestro equipaje?
[álgyen pwéde ayoudárnos a subír el ekipáHe]

À quelle heure devons-nous quitter la chambre ?
¿A qué hora debemos dejar la habitación ?
[a ke óra debémos deHár la:bitasión]

Peut-on boire l'eau du robinet ?
¿ Se puede tomar el agua de (la llave / la pila) ?
[se pwéde tómar el ágwa de la yábe / de la píla]

De quelle heure à quelle heure le petit déjeuner est-il servi ?
¿ De qué hora a qué hora sirven el desayuno ?
[de ke óra a ke óra sírben el desayoúno]

Pourrions-nous changer de chambre ?
¿ Podríamos cambiar de habitación ?
[podríamos kambiár de abitasión]

Nous voudrions une chambre avec vue sur la mer.
Quisiéramos una habitación con vista al mar.
[kisiéramos oúna abitasión kón bísta al már]

Est-ce que nous pouvons avoir deux clés ?
¿ Podemos tener dos llaves ?
[podémos tenér dós yábes]

De quelle heure à quelle heure la piscine est-elle ouverte ?
¿ De qué hora a qué hora está abierta la piscina ?
[de ke óra a ke óra está abiérta la pisína]

Où pouvons-nous prendre des serviettes pour la piscine ?
¿ Dónde podemos tomar (pedir) toallas para la piscina ?
[dónde podémos tomár / pedír / toáyas pára la pisína]

Y a-t-il un service de bar à la piscine ?
¿ Hay un servicio de bar en la piscina ?
[áy oún serbísio de bár en la pisína]

Quelles sont les heures d'ouverture du gymnase ?
¿ Cuáles son los horarios del gimnasio ?
[kwáles son los orários del Himnasio]

Y a-t-il un coffre-fort dans la chambre ?
¿ Hay una caja fuerte en la habitación ?
[ái úna káHa fwérte en la:bitasión]

Pouvez-vous me réveiller à... ?
¿ Puede usted despertarme a... ?
[pwéde ousté despertárme a...]

La climatisation ne fonctionne pas.
El aire acondicionado no funciona.
[El áyre acondisionádo no founsióna]

La toilette est bouchée.
El baño está tupido (atascado).
[el bágno está toupído / ataskado]

Il n'y a pas de lumière.
No hay luz.
[no áy loús]

Puis-je avoir la clé du coffret de sûreté ?
¿ Puedo tener la llave del cofre de seguridad ?
[pwédo tenér la yábe del kófre de segouridá]

Le téléphone ne fonctionne pas.
El teléfono no funciona.
[el teléfono no founsióna]

Avez-vous des messages pour moi ?
¿ Tiene usted mensajes para mí ?
[tiéne ousté mensáHes pára mí]

Avez-vous reçu un fax pour moi ?
¿ Recibió usted un fax para mí ?
[resibió usté oún faks pára mí]

Pouvez-vous nous appeler un taxi ?
¿ Puede usted llamarnos un taxi ?
[pwéde ousté yamárnos oún táksi]

Pouvez-vous nous appeler un taxi pour demain à 6h?
¿ Puede usted llamarnos un taxi para mañana a las seis?
[pwéde ousté yamárnos oún táksi pára magnána a las séys]

Nous partons maintenant.
Partimos ahora.
[Partímos ahóra]

Pouvez-vous dresser la facture?
¿ Puede usted preparar la factura?
[pwéde ousté preparár la faktoúra]

Je crois qu'il y a une erreur sur la facture.
Creo que hay un error en la factura.
[kréo ke áy oún erór en la faktoúra]

Pouvez-vous faire descendre nos bagages?
¿ Puede usted hacer bajar nuestro equipaje?
[pwéde ousté asér baHár nwéstro ekipáHe]

Pouvez-vous garder nos bagages jusqu'à...?
¿ Puede usted guardar nuestro equipaje hasta...?
[pwéde ousté gwardár nwéstro ekipáHe ásta...]

Merci pour tout, nous avons fait un excellent séjour chez vous.
Gracias por todo, hemos pasado una excelente estancia con ustedes.
[grásias por tódo émos pasádo úna ekselénte estánsya kon oustédes]

Nous espérons revenir bientôt.
Esperamos volver pronto.
[esperámos bolvér prónto]

À TABLE
EN LA MESA

....

Au restaurant - *En el restaurante*

La cuisine mexicaine
La cocina mexicana
[la kosína mehikána]

Pouvez-vous nous recommander un restaurant ?
¿ Puede recomendarnos un restaurante ?
[pwéde rekomendárnos oún restauránte]

chinois	*chino*	[tchíno]
français	*francés*	[fransés]
indien	*indio*	[índio]
italien	*italiano*	[italiáno]
japonais	*japonés*	[Haponés]
mexicain	*mexicano*	[meHikáno]

Choisir une table – *Elegir una mesa*

banquette	*banqueta*	[bankéta]
chaise	*silla*	[síya]
cuisine	*cocina*	[kosína]
en haut	*arriba*	[aríba]
en bas	*abajo*	[abáHo]
fenêtre	*ventana*	[bentána]
près de la fenêtre	*cerca de la ventana*	[sérka de la bentána]
salle à manger	*comedor*	[komedór]
terrasse	*terraza*	[terása]

| toilettes | *baños* | [bágnos] |
| table | *mesa* | [mésa] |

Plats – *Platos*

petit déjeuner	*desayuno*	[desayoúno]
déjeuner	*almuerzo*	[almwérso]
dîner	*cena / comida*	[séna / komída]
entrée	*entrante*	[entránte]
soupe	*sopa*	[sópa]
plat	*plato*	[pláto]
plat principal	*plato principal*	[pláto prinsipál]
plats végétariens	*platos vegetarianos*	[plátos beHetariános]
riz	*arroz*	[arós]
sandwich	*sandwich / emparedado*	[sangwítch / emparedádo]
empanada	*empanada*	[empanáda]
salade	*ensalada*	[ensaláda]
fromage	*queso*	[késo]
dessert	*postre*	[póstre]
sur charbons de bois	*al carbón*	[al karbón]
émincé	*cortado muy fino*	[kortádo mwí fíno]
au four	*al horno*	[al órno]
gratiné	*tostado / al horno*	[tostádo/ al órno]
sur le gril	*a la parrilla*	[a la paríya]
pané	*empanizado*	[empanisádo]
à la poêle	*a la sartén*	[a la sartén]
rôti	*asado*	[asádo]

Boissons – *Bebidas*

café	*café*	[kafé]
café avec du lait	*café con leche*	[kafé kón létche]
coca	*coka*	[kóka]
crème	*crema*	[kréma]
eau minérale	*agua mineral*	[ágwa minerál]
eau minérale pétillante	*agua mineral con soda*	[ágwa minerál kon sóda]
eau purifiée	*agua purificada*	[ágwa purifikada]
espresso	*expreso*	[ekspréso]
jus	*jugo*	[Hoúgo]
jus d'orange	*jugo de naranja*	[Hoúgo de naránHa]
lait	*leche*	[létche]
sucre	*azúcar*	[asoúkar]
thé	*té*	[té]
tisane	*tisana*	[tisána]

Boissons alcoolisées – *Licores*

apéritif	*aperitivo*	[aperitíbo]
bière	*cerveza*	[serbésa]
carte des vins	*carta de vinos*	[kárta de bínos]
digestif	*digestivo*	[diHestíbo]
vin	*vino*	[bíno]
vin blanc	*vino blanco*	[bíno blánko]
vin maison	*vino casero / de la casa*	[bíno kaséro / de la kása]
vin rouge	*vino tinto*	[bíno tínto]

5 Commodités

vin du pays	*vino del país*	[bíno del país]
bouteille	*botella*	[botéya]
demi-bouteille	*media botella*	[média botéya]
un demi	*una media*	[úna média]
un quart	*un cuarto*	[ún kwárto]
vin sec	*vino seco*	[bíno séko]
doux	*dulce*	[doúlse]
mousseux	*espumoso*	[espoumóso]
avec glaçons	*con hielo*	[kón iélo]
sans glaçons	*sin hielo*	[sín iélo]

Couverts – *Cubiertos*

l'assiette	*el plato*	[el pláto]
le cendrier	*el cenicero*	[el seniséro]
le couteau	*el cuchillo*	[el koutchiyo]
la cuillère	*la cuchara*	[la koutchára]
la fourchette	*el tenedor*	[el tenedór]
le menu	*el menú*	[el menoú]
la serviette de table	*la servilleta*	[la serbiyéta]
la soucoupe	*el platillo*	[el platíyo]
la tasse	*la taza*	[la tása]
le verre	*el vaso*	[el báso]

Je voudrais faire une réservation pour deux personnes vers 20 heures.
Quisiera hacer una reservación para dos personas a las 20 horas.
[kisiéra asér oúna resérbasión pára dós persónas a las béynte óras]

Est-ce que vous aurez de la place plus tard ?
¿ Tendrá usted una mesa más tarde ?
[tendrá ousté oúna mésa más tárde]

Je voudrais réserver pour demain soir.
Quisiera reservar para mañana por la noche.
[kisiéra reserbár pára magnána por la nótche]

Quelles sont les heures d'ouverture du restaurant ?
¿ Cuáles son los horarios en que está abierto el restaurante ?
[kwáles són los orários en ke está abiérto el restauránte]

Acceptez-vous les cartes de crédit ?
¿ Acepta usted tarjetas de crédito ?
[asépta ousté tarHétas de krédito]

J'aimerais voir le menu.
Me gustaría ver el menú.
[me goustaría bér el menoú]

Je voudrais une table sur la terrasse.
Quiero una mesa en la terraza.
[kiéro oúna mésa en la terása]

Pouvons-nous simplement prendre un verre ?
¿ Podemos simplemente tomar un trago ?
[podémos símpleménte tómar oún trágo]

Pouvons-nous simplement prendre un café ?
¿ Podemos simplemente tomar un café ?
[podémos símpleménte tómar oún kafé]

Je suis végétarien(ne).
Soy vegetariano(a).
[sóy beHetariáno / a]

Je ne mange pas de porc.
No como puerco (cerdo).
[no kómo pwérko / sérdo]

5 Commodités

Je suis allergique aux noix (aux arachides).
Soy alérgico a las nueces (a las cacahuetes).
[sóy alérHiko: las nwéses / kakauetes]

Je suis allergique aux œufs.
Soy alérgico al huevo.
[sóy alérHiko al wébo]

Servez-vous du vin au verre?
¿Puedo tomar sólo un vaso de vino?
[pwédo tomár sólo oún báso de bíno]

Nous n'avons pas eu...
No hemos tenido...
[no émos tenído]

J'ai demandé...
Pedí...
[pedí]

C'est froid.
Está frío.
[está frío]

C'est trop salé.
Está muy salado.
[está mwi saládo]

Ce n'est pas frais.
No está fresco.
[no está frésko]

L'addition, s'il vous plaît.
La cuenta, por favor.
[la kwénta, por fabór]

Le service est-il compris?
¿El servicio está incluído?
[el serbísio está inclouído]

Merci, ce fut un excellent repas.
Gracias, fue una excelente comida.
[grásias fwé oúna ekselénte komída]

Merci, nous avons passé une très agréable soirée.
Gracias, hemos pasado una agradable velada (noche).
[grásias émos pasádo oúna agradáble beláda / nótche]

Le goût – *El sabor*

amer	*amargo*	[amárgo]
doux	*suave*	[suábe]
épicé	*picante* *condimentado*	[pikánte / kondimentádo]
fade	*sin sabor*	[sín sabór]
piquant	*picante*	[pikánte]
poivré	*pimentado*	[pimentádo]
salé	*salado*	[saládo]
sucré	*dulce*	[doúlse]

amargo	**amer**	[amárgo]
condimentado	**épicé**	[kondimentádo]
dulce	**sucré**	[doúlse]
picante	**piquant**	[pikánte]
pimentado	**poivré**	[pimentádo]
salado	**salé**	[saládo]
sin sabor	**fade**	[sín sabór]
suave	**doux**	[suábe]

Épices, herbes et condiments –
Especias, yerbas y condimentos

basilic	*hierba buena*	[yérba bwéna]
beurre	*mantequilla*	[mantekíya]
cannelle	*canela*	[kanéla]
coriandre	*culantro / cilantro*	[koulántro / silántro]
curry	*curry*	[koúri]
épice	*condimento / especie*	[kondiménto / espésie]
épicé	*picante / condimentado(a)*	[pikánte / kondimentádo(a)]
gingembre	*jengibre*	[Henhíbre]
menthe	*menta*	[ménta]
moutarde douce	*mostaza suave*	[mostása swábe]
moutarde forte	*mostaza fuerte / picante*	[mostása fwérte / pikánte]
muscade	*nuez moscada*	[nwés moskáda]
oseille	*acedera*	[asedéra]
pain	*pan*	[pán]
poivre	*pimienta*	[pimiénta]
poivre rose	*pimienta roja*	[pimiénto róHa]
romarin	*romerillo*	[romeríyo]
sauce	*salsa*	[sálsa]
sauce piquante	*salsa picante*	[sálsa pikante]
sauce soya	*salsa de soja / china*	[sálsa de sóHa / tchína]
sauge	*salvia*	[sálbia]
sel	*sal*	[sál]

| thym | *tomillo* | [tomíyo] |
| vinaigre | *vinagre* | [vinágre] |

acedera	oseille	[asedéra]
canela	cannelle	[kanéla]
condimento	épice	[kondiménto]
culantro / cilantro	coriandre	[koulántro / silántro]
curry	curry	[koúri]
hierba buena	basilic	[yérba bwéna]
jengibre	gingembre	[Henhíbre]
mantequilla	beurre	[mantekíya]
menta	menthe	[ménta]
mostaza suave	moutarde douce	[mostása swábe]
mostaza fuerte / picante	moutarde forte	[mostása fwérte / pikánte]
nuez moscada	muscade	[nwés moskáda]
pan	pain	[pán]
picante / condimentado(a)	épicé	[pikánte / kondimentádo(a)]
pimienta	poivre	[pimiénta]
pimienta roja	poivre rose	[pimiénto róHa]
romerillo	romarin	[romeríyo]
sal	sel	[sál]
salsa	sauce	[salsa]
salsa picante	sauce piquante	[sálsa pikante]
salsa de soja / china	sauce soya	[sálsa de sóya / tchína]
salvia	sauge	[sálbia]

tomillo	**thym**	[tomíyo]
vinagre	**vinaigre**	[vinágre]

Petit déjeuner – *Desayuno*

café	*café*	[kafé]
confiture	*confitura / dulce*	[konfitoúra / doúlse]
confiture de lait (caramel au lait)	*dulce de leche*	[doúlse de létche]
crêpes	*arepas / tortillas / pancake*	[arépas / tortíyas / pankéi]
croissant	*cangrejo / media luna*	[kangréHo / média loúna]
fromage	*queso*	[késo]
fromage frais (fromage blanc)	*queso fresco*	[késo frésko]
fruits	*frutas*	[froútas]
gaufres	*gofres*	[gófres]
granola (musli)	*granola*	[granóla]
jus	*jugo / zumo*	[Hoúgo / soúmo]
marmelade	*mermelada*	[mermeláda]
œufs	*huevos*	[wébos]
omelette	*tortilla*	[tortíya]
pain	*pan*	[pán]
pain de blé entier	*pan de trigo / pan negro*	[pán de trígo /pán négro]
pain doré (pain perdu)	*torreja / pan francés*	[toréHa / pan francés]
toasts	*tostadas*	[tostádas]
viennoiserie	*pan de leche / de azúcar*	[pán de létche / de asúkar]

yaourt / yogourt		*yogur*	[yogoúr]
arepas	**crêpes**		[arépas]
café	**café**		[kafé]
cangrejo	**croissant**		[kangréHo]
confitura	**confiture**		[konfitoúra]
dulce de leche	**confiture de lait** (caramel au lait)		[doúlse de létche]
frutas	**fruits**		[froútas]
gofres	**gaufres**		[gófres]
granola	**granola**		[granóla]
huevos	**œufs**		[wébos]
jugo	**jus**		[Hoúgo]
media luna	**croissant**		[média loúna]
mermelada	**marmelade**		[mermeláda]
pan (de leche / de azúcar)	**viennoiserie**		[pán de létche / de asoúkar]
pan	**pain**		[pán]
pan de trigo / pan negro	**pain de blé entier**		[pán de trígo / pán négro]
pan francés	**pain doré**		[pan francés]
queso	**fromage**		[késo]
queso fresco	**fromage frais** (fromage blanc)		[késo frésko]
torreja	**pain doré** (pain perdu)		[toréHa]
tostadas	**toasts**		[tostádas]
yogur	**yaourt / yogourt**		[yogoúr]
zumo	**jus**		[soúmo]

Fruits – *Frutas*

abricot	*albaricoque*	[albarikoke]
ananas	*piña*	[pígna]
arachide	*cacahuete / mani*	[kakaouete, maní]
banane	*plátano fruta*	[plátano froúta]
carambole	*carambola / pera china*	[karambóla / péra tchína]
cerise	*cereza*	[serésa]
citron	*limón*	[limón]
citrouille (potiron)	*calabaza*	[kalabása]
clémentine	*mandarina*	[mandarína]
corrosol	*guanábana*	[gwanábana]
coco	*coco*	[kóko]
fraise	*fresas*	[frésas]
framboise	*frambuesa*	[franbwésa]
fruit de la passion	*murucuyá*	[mouroucoujá]
goyave	*guayaba*	[gouayába]
griotte	*guinda*	[gouínda]
kiwi	*kiwi*	[kígwi]
lime	*lima*	[líma]
mandarine	*mandarina*	[mandarína]
mangue	*mango*	[mángo]
melon	*melón*	[melón]
mûr(e)	*maduro(a)*	[madoúro / a]
mûre	*mora*	[móra]
noix	*nueces*	[nouéses]

orange	*naranja*	[naránHa]
pamplemousse	*toronja*	[torónHa]
papaye	*papaya*	[papáya]
pêche	*melocotón*	[melokotón]
plantain	*plátano*	[plátano]
poire	*pera*	[péra]
pomelo	*toronja grande*	[torónHa gránde]
pomme	*manzana*	[mansána]
prune	*ciruela*	[sirwéla]
raisin	*uva*	[oúba]
raisins secs	*pasas*	[pásas]
tangerine	*tangerina / mandarina roja*	[tanyerína / mandarína róHa]
vert(e)	*verde*	[bérde]

calabaza	**citrouille (potiron)**	[kalabása]
cacahuete	**arachide**	[kakaouete]
carambola	**carambole**	[karambóla]
cereza	**cerise**	[serésa]
ciruela	**prune**	[sirwéla]
coco	**coco**	[kóko]
frambuesa	**framboise**	[franbwésa]
fresas	**fraise**	[frésas]
guanábana	**corrosol**	[gwanábana]
guayaba	**goyave**	[gouayába]
guinda	**griotte**	[gouínda]

kiwi	**kiwi**	[kígwi]
lima	**lime**	[líma]
limón	**citron**	[limón]
maduro(a)	**mûr(e)**	[madoúro / a]
mandarina	**clémentine / mandarine**	[mandarína]
mango	**mangue**	[mángo]
mani	**arachide**	[maní]
manzana	**pomme**	[mansána]
melocotón	**pêche**	[melokotón]
melón	**melon**	[melón]
murucuyá	**fruit de la passion**	[mouroucouyá]
naranja	**orange**	[naránHa]
nueces	**noix**	[nouéses]
papaya	**papaye**	[papáya]
pasas	**raisins secs**	[pásas]
pera	**poire**	[péra]
piña	**ananas**	[pígna]
plátano	**plantain**	[plátano]
plátano fruta	**banane**	[plátano froúta]
tangerina	**tangerine**	[tanyerína]
toronja	**pamplemousse**	[torónHa]
toronja grande	**pomelo**	[torónHa gránde]
uva	**raisin**	[oúba]
verde	**vert(e)**	[bérde]

Légumes – *Verduras*

ail	*ajo*	[áHo]
asperge	*espárrago*	[espárago]
aubergine	*berenjena*	[berenHéna]
avocat	*aguacate*	[agwakáte]
brocoli	*brócoli / brécol*	[brókoli / brékol]
cactus	*cactus / nopal*	[káktous / nopal]
carotte	*zanahoria*	[sanaória]
céleri	*apio*	[ápio]
champignon	*hongo / champiñón*	[óngo / tchampignón]
chou	*col / repollo*	[kól / repóyo]
chou-fleur	*coliflor*	[koliflór]
chou de Bruxelles	*col de Bruxelas*	[kól de brousélas]
concombre	*pepino*	[pepíno]
courge	*calabaza*	[kalabása]
courgette	*calabacilla / calabacita*	[kalabasíya / kalabasíta]
cresson	*berro*	[béro]
épinard	*espinaca*	[espináka]
fenouil	*hinojo*	[inóHo]
haricots	*frijoles*	[friHóles]
laitue	*lechuga*	[letchoúga]
maïs	*maíz*	[maís]
navet	*nabo*	[nábo]
ocra	*quimbombó / quiambo / quingambó / gombó*	[kimbombó / kiámbo / kingambó / gombó]

oignon	*cebolla*	[sebóya]
piment	*ají*	[aHí]
poireau	*cebollino*	[seboyíno]
pois	*judía / porotos*	[Houdías / porótos]
pois chiche	*garbanzo*	[garbánso]
pois mange-tout	*habichuelas*	[abitchwélas]
poivron	*pimiento*	[pimiénto]
pommes de terre	*papas*	[pápas]
radis	*rábanos*	[rábanos]
tomate	*tomate*	[tomáte]

aguacate	**avocat**	[agwakáte]
ají	**piment**	[aHí]
ajo	**ail**	[áHo]
apio	**céleri**	[ápyo]
berenjena	**aubergine**	[berenHéna]
berro	**cresson**	[béro]
brócoli / brécol	**brocoli**	[brókoli / brékol]
cactus	**cactus**	[káktous]
calabaza	**courge**	[kalabása]
calabacilla / cita	**courgette**	[kalabasíya / kalabasíta]
cebolla	**oignon**	[sebóya]
cebollino	**poireau**	[seboyíno]
champiñón	**champignon**	[tchampignón]

col	chou	[kól]
col de Bruxelas	chou de Bruxelles	[kól de brousélas]
coliflor	chou-fleur	[koliflór]
espárrago	asperge	[espárago]
espinaca	épinards	[espináka]
judía	pois	[Houdías]
frijoles	haricots	[friHóles]
garbanzo	pois chiche	[garbánso]
gombó	ocra	[gombó]
habichuelas	pois mange-tout	[abitchwélas]
hinojo	fenouil	[inóHo]
hongo	champignon	[óngo]
lechuga	laitue	[letchoúga]
maíz	maïs	[maís]
nabo	navet	[nábo]
nopal	cactus	[nopal]
papas	pommes de terre	[pápas]
pepino	concombre	[pepíno]
pimiento	poivron	[pimiénto]
porotos	pois	[porótos]
quimbombó / quiambo / quingambó	ocra	[kimbombó / kiámbo / kingambó]
rábanos	radis	[rábanos]
repollo	chou	[repóyo]
tomate	tomate	[tomáte]
zanahoria	carotte	[sanaória]

> * En Argentine, le traditionnel *asado*, le barbecue argentin, se déguste dans une *parrillada*, qui tire son nom de l'appareil sur lequel on fait cuire la viande, la *parrilla*. Ce repas presque cérémoniel commence toujours par un service d'*achuras* (abats), suivi des *chorizos* (saucisses), de la *morcilla* (boudin noir) et des *chinchulines* (tripes). Deux coupes de viande typiquement argentines restent à l'honneur : le *bife de chorizo* (faux-filet) et le *bife de lomo* (filet très épais et tendre). Un peu de *chimichurri* (sauce) avec ça ? *

Viandes – *Carnes*

à point (médium)	*punto medio*	[poúnto médyo]
agneau	*cordero*	[kordéro]
bien cuit	*bien cocinado*	[bién kosinádo]
bifteck	*biftec / bisté*	[bifték / bisté]
bœuf	*res / vaca*	[rés / báka]
boudin	*morcilla*	[morsíya]
boulette	*albóndigas*	[albóndigas]
brochette	*al pincho*	[al píntcho]
caille	*codorniz*	[kodornís]
canard	*pato*	[páto]
cerf	*ciervo*	[siérbo]
cervelle	*sesos*	[sésos]
chapon	*pollo de cría*	[póyo de kría]
chèvre	*cabra*	[kábra]

chevreau	*cabrito*	[kabríto]
côtelette	*costilla*	[kostíya]
cru	*crudo*	[kroúdo]
cubes	*cubos*	[koúbos]
cuisse	*muslo*	[moúslos]
dinde	*guanajo / pavo*	[gwanáHo / pábo]
entrecôte	*entrecote / solomillo*	[entrekóte / solomíyo]
escalope	*escalope*	[eskalópe]
farci	*relleno*	[reyéno]
filet	*filete*	[filéte]
foie	*hígado*	[ígado]
fumé	*ahumado*	[aoumádo]
grillade	*asado*	[asádo]
haché	*picado(a)*	[pikádo(a)]
iguane	*iguana*	[igwána]
jambon	*jamón*	[Hamón]
jarret	*pata / corva*	[pata / kórba]
langue	*lengua*	[léngwa]
lapin	*conejo*	[konéHo]
lièvre	*liebre / mará (Argentina)*	[lièbre / mará]
magret de canard	*filete de pato*	[filéte de páto]
oie	*ganso(a)*	[gánso(a)]
pattes	*patas*	[pátas]
perdrix	*perdiz*	[perdís]
poitrine	*pechuga*	[petchoúga]
porc	*puerco / cerdo*	[pwérko / sérdo]

poulet	*pollo*	[póyo]
rognons	*riñones*	[rignónes]
rosé	*rojizo*	[roHiso]
saignant	*sangriento*	[sangryénto]
sanglier	*jabalí / puerco salvaje*	[Habalí / pwérko salbaHe]
saucisse	*embutido / chorizo*	[emboutído / tchoríso]
tartare	*tártara*	[tártara]
tranche	*cortado / picado*	[kortádo / pikádo]
veau	*ternero*	[ternéro]
venaison	*venado*	[benádo]
viande	*carne*	[kárne]
volaille	*aves*	[ábes]

ahumado	**fumé**	[aoumádo]
al pincho	**brochette**	[al píntcho]
albóndigas	**boulette**	[albóndigas]
asado	**grillade**	[asádo]
biftec	**bifteck**	[bifték]
cabra	**chèvre**	[kábra]
cabrito	**chevreau**	[kabríto]
cerdo	**porc**	[serdo]
ciervo	**cerf**	[siérbo]
codorniz	**caille**	[kodornís]
conejo	**lapin**	[konéHo]
cordero	**agneau**	[kordéro]
cortado	**tranche**	[kortádo]

corva	**patte**	[kórba]
costilla	**côtelette**	[kostía]
crudo	**cru**	[kroúdo]
cubos	**cubes**	[koúbos]
entrecote	**entrecôte**	[entrekóte]
escalope	**escalope**	[eskalópe]
filete	**filet**	[filét]
filete de pato	**magret de canard**	[filéte de páto]
ganso(a)	**oie**	[gánso / a]
guanajo	**dinde**	[gwanáHo]
hígado	**foie**	[ígado]
iguana	**iguane**	[igwána]
jabalí	**sanglier**	[Habalí]
jamón	**jambon**	[Hamón]
lengua	**langue**	[léngwa]
liebre	**lièvre**	[liébre]
morcilla	**boudin**	[morsía]
muslo	**cuisse**	[moúslos]
pata	**pattes / jarret**	[páta]
pato	**canard**	[páto]
pavo	**dinde**	[pábo]
pechuga	**poitrine**	[petchoúga]
perdiz	**perdrix**	[perdís]
picado(a)	**haché / tranché**	[pikádo]
pollo	**poulet**	[póyo]
pollo de cría	**chapon**	[póyo de kría]

puerco	**porc**	[pwérko]
puerco salvaje	**sanglier**	[pwérko salbaHe]
relleno	**farci**	[reyéno]
res	**bœuf**	[rés]
riñones	**rognons**	[rignónes]
sesos	**cervelle**	[sésos]
solomillo	**entrecôte**	[solomíyo]
tártara	**tartare**	[tártara]
ternero	**veau**	[ternéro]
vaca	**bœuf**	[báka]

Poissons et fruits de mer – *Pescados y mariscos*

anchois	*anchoas*	[antchóas]
anguille	*anguila*	[anguíla]
bar	*bar*	[bár]
calmar	*calamar*	[kalamár]
colin	*merluza*	[merloúsa]
crabe	*cangrejo*	[kangréHo]
crevettes	*camarones / gambas*	[kamarónes / gambás]
darne	*rodaja*	[rodáHa]
escargot	*cobo / caracol*	[kóbo / karakól]
espadon	*espadón*	[espadón]
filet	*filete*	[filét]
hareng	*arenque*	[arénke]
homard	*langosta grande / cobrajo*	[langósta gránde / kobráHo]
huîtres	*ostras*	[óstra]

langouste	*langosta*	[langósta]
langoustine	*langostín / langostino*	[langostín / langostíno]
loup de mer	*lobo de mar*	[lóbo de már]
merlan	*merlán*	[merlán]
morue	*bacalao*	[bakaláo]
oursin	*erizo*	[eríso]
palourdes	*cobo / caracol*	[kóbo / karakól]
pétoncles	*pechina*	[petchina]
pieuvre	*pulpo pequeño*	[poúlpo pekégno]
poulpe	*pulpo*	[poúlpo]
raie	*raya*	[ráya]
requin	*tiburón*	[tibourón]
sardines	*sardinas*	[sardínas]
saumon	*salmón*	[salmón]
saumon fumé	*salmón ahumado*	[salmón aoumádo]
sole	*lenguado*	[lengwádo]
thon	*atún*	[atoún]
truite	*trucha*	[troútcha]
turbot	*turbo*	[toúrbo]
vivaneau	*rabi rubia / huachinango*	[rabi roubya / watchinango]

anchoas	**anchois**	[antchóas]
anguila	**anguille**	[anguíla]
arenque	**hareng**	[arénke]
atún	**thon**	[atoún]

bacalao	morue	[bakaláo]
bar	bar	[bár]
calamar	calmar	[kalamár]
cangrejo	crabe	[kangréHo]
camarones	crevettes	[kamarónes]
cobo	palourdes	[kóbo]
cobrajo	homard	[kobráHo]
caracol	escargot	[karakól]
erizo	oursin	[eríso]
espadón	espadon	[espadón]
filete	filet	[filét]
gambas	crevettes	[gambás]
huachinango	vivaneau	[watchinango]
langosta	langouste	[langósta]
langosta grande	homard	[langósta gránde]
langostín / langostino	langoustine	[langostín / langostíno]
lenguado	sole	[lengwádo]
lobo de mar	loup de mer	[lóbo de már]
merlán	merlan	[merlán]
merluza	colin	[merloúsa]
ostras	huîtres	[óstra]
petchina	pétoncles	[petchína]
pulpo	poulpe	[poúlpo]
pulpo pequeño	pieuvre	[poúlpo pekégno]
rabi rubia	vivaneau	[rabiroubya]

raya	**raie**	[ráya]
rodaja	**darne**	[rodaHa]
salmón	**saumon**	[salmón]
salmón ahumado	**saumon fumé**	[salmón aoumádo]
sardinas	**sardines**	[sardínas]
tiburón	**requin**	[tibourón]
trucha	**truite**	[troútcha]
turbo	**turbot**	[toúrbo]

Desserts – *Postres*

caramel	*caramelo*	[karamélo]
chocolat	*chocolate*	[tchokoláte]
confiture de lait (caramel au lait)	*dulce de leche*	[doúlse de létche]
crème-dessert	*crema postre natillas*	[kréma póstre / natiyas]
flan	*flan*	[flán]
gâteau	*pastel / cake*	[pastél / kéi]
glace (crème glacée	*helado*	[eládo]
meringue	*merengue*	[meréngue]
mousse au chocolat	*mousse de chocolate*	[mousse de tchokoláte]
sorbet	*sorbeto / sorbete*	[sorbéto / sorbéte]
tarte	*torta / pastel*	[tórta / pastél]
vanille	*vainilla*	[bayníya]

caramelo	**caramel**	[karamélo]
cake	**gâteau**	[kéi]
chocolate	**chocolat**	[tchokoláte]
crema postre	**crème-dessert**	[kréma póstre]
dulce de leche	**confiture de lait** (caramel au lait)	[doúlse de létche]
flan	**flan**	[flán]
pastel	**gâteau**	[pastél]
helado	**glace** (crème glacée)	[eládo]
merengue	**meringue**	[meréngue]
mousse de chocolate	**mousse au chocolat**	[mousse de tchokoláte]
sorbeto / sorbete	**sorbet**	[sorbéto / sorbéte]
torta	**tarte**	[tórta]
vainilla	**vanille**	[bayníya]

* En Colombie, on emploie le mot *trago* pour parler des boissons alcooliques en général. Au Venezuela, on dit *caña*. *Caña* est le mot usuel en Espagne pour commander une bière pression. *

SORTIES
SALIDAS

....

Divertissements – *Diversión*

ballet	*ballet*	[balé]
baseball	*béisbol / pelota*	[béysbol / pelóta]
billetterie	*taquilla*	[takíya]
cinéma	*cine*	[síne]
concert	*concierto*	[konsiérto]
danse folklorique	*danza folklórica*	[dánza folklórika]
entracte	*entreacto*	[entreákto]
folklore	*folklore*	[folklóre]
guichet	*taquilla*	[takíya]
hockey	*hockey*	[óki]
opéra	*ópera*	[ópera]
programme	*programa*	[prográma]
siège	*asiento*	[asiénto]
siège réservé	*asiento reservado*	[asiénto **r**eservado]
soccer	*fútbol*	[foútbol]
spectacle	*espectáculo*	[espektákoulo]
tauromachie	*tauromaquia*	[taouromákía]
théâtre	*teatro*	[teátro]
toréador	*torero*	[torero]

5 Commodités

Les places les moins chères
Los asientos más baratos.
[los asiéntos más barátos]

Les meilleures places
Los mejores asientos
[los meHóres asiéntos]

Je voudrais... places.
Quisiera... asientos.
[kisiéra ... asiéntos]

Est-ce qu'il reste des places pour... ?
¿Quedan asientos para... ?
[kédan asiéntos]

Quel jour présente-t-on... ?
¿Qué día presentan... ?
[ké día preséntan...]

Est-ce en version originale ?
¿Es en versión original ?
[es en bersión oriHinál]

Est-ce sous-titré ?
¿Está subtitulado ?
[está soubtitouládo]

La vie nocturne – *La vida nocturna*

l'apéritif	*el aperitivo*	[el aperitíbo]
bar	*bar*	[bár]
bar gay	*bar de gays*	[bár de géis]
bar lesbien	*bar de lesbianas*	[bár de lesbiánas]
barman	*barman / camarero*	[bárman, camarero]
boîte de nuit	*cabaré / dáncing*	[kabaré, dánsin]

chanteur	cantante	[kantánte]
cigare	cigarro	[sigáro]
cigarette	cigarrillo	[sigarícho]
consommation	consumo	[konsoúmo]
danse	baile	[báyle]
discothèque	discoteca	[diskotéka]
entrée ($)	entrada	[entráda]
fête	fiesta	[fiésta]
jazz	jazz	[yás]
le milieu gay	el ambiente gay	[el ambiénte géy]
musicien	músico	[moúsiko]
musique en direct	música en vivo	[moúsika en vívo]
piste de danse	pista / plataforma (de baile)	[písta / platafórma / de báyle]
strip-tease	strip-tease	[estritís]
travesti	travesti	[trabésti]
un verre	un trago	[oún trágo]
alcool	alcohol	[alkól]
apéritif	aperitivo	[aperitíbo]
bière	cerveza	[serbésa]
boisson importée	bebida importada	[bebída importáda]
boisson nationale	bebida nacional	[bebída nasionál]
digestif	digestivo	[dihestíbo]
eau minérale	agua mineral	[ágwa minerál]
eau minérale gazeuse	agua mineral gaseosa	[ágwa minerál gaseósa]
jus d'orange	jugo de naranja	[Hoúgo de naránHa]

5 Commodités

soda	*soda*	[sóda]
tequila	*tequila*	[tekíla]
vermouth	*vermú*	[vermoú]
vin	*vino*	[bíno]

Rencontres - *Encuentros*

affectueux	*cariñoso*	[karignóso]
beau (belle)	*bonito(a) / guapo(a) / hermoso(a)*	[boníto(a) / gwápo(a) / ermóso(a)]
célibataire	*soltero(a)*	[soltéro]
charmant(e)	*encantador(a)*	[enkantadór]
compliment	*complimentos*	[kompliméntos]
conquête	*conquista*	[konkísta]
couple	*pareja*	[paréHa]
discret(e)	*discreto(a)*	[diskréto(a)]
divorcé(e)	*divorciado(a)*	[diborsiádo(a)]
draguer	*ligar*	[ligar]
enchanté(e)	*encantado(a)*	[enkantádo(a)]
fatigué(e)	*fatigado(a)*	[fatigádo(a)]
femme	*mujer*	[mouHér]
fidèle	*fiel*	[fiél]
fille	*chica / muchacha*	[tchíka / moutchátcha]
garçon	*chico / muchacho*	[tchíko / moutchátcho]
gay	*gay / homosexual*	[géy / omosekswál]

grand(e)	*grande*	[gránde]
homme	*hombre*	[ómbre]
invitation	*invitación*	[inbitasión]
inviter	*invitar*	[inbitár]
ivre	*borracho / ebrio / curda*	[borátcho / ébrio / kourda]
jaloux (jalouse)	*celoso(a)*	[selóso(a)]
jeune	*joven*	[Hóben]
joli(e)	*bonito(a) / lindo(a)*	[boníto(a) / líndo(a)]
jouer au billard	*jugar al billar*	[Hougár al biyár]
laid(e)	*feo(a)*	[féo(a)]
macho	*macho*	[mátcho]
marié(e)	*casado(a)*	[kasádo(a)]
mignon(ne)	*bonito(a) / hermoso(a)*	[boníto(a) / hermóso(a)]
personnalité	*personalidad*	[personalidá]
petit(e)	*pequeño(a)*	[pekégno(a)]
prendre un verre	*tomar (darse) un trago*	[tomar / dárse / oún trágo]
rendez-vous	*cita*	[síta]
Santé! (pour trinquer)	*¡Salud!*	[saloúd]
séparé(e)	*separado(a)*	[separádo]
seul(e)	*solo(a)*	[sólo(a)]
sexe sécuritaire	*sexo seguro*	[sékso segoúro]
sexy	*sexy*	[séksi]
sympathique	*simpático(a)*	[simpátiko(a)]
vieux (vieille)	*viejo(a)*	[biéHo(a)]

Comment allez-vous ?
¿Cómo está usted?
[kómo está ousté]

Très bien, et vous ?
¿Muy bien, y usted?
[mwí bién i ousté]

Je vous présente...
Le presento a...
[le presénto a...]

Pourriez-vous me présenter à cette demoiselle ?
¿Podría usted presentarme a esa muchacha?
[podría ousté presentárme a ésa moutchátcha]

À quelle heure la plupart des gens viennent-ils ?
¿A qué hora viene la mayoría de las personas?
[a ke óra biéne la majoría de las persónas]

À quelle heure est le spectacle ?
¿A qué hora es el espectáculo?
[a ke óra es el espektákoulo]

Bonsoir, je m'appelle...
Buenas noches, me llamo...
[bwénas nótches me yámo...]

Est-ce que cette musique te plaît ?
¿Te gusta esta música?
[te goústa ésta moúsika]

Je suis hétérosexuel.
Soy heterosexual.
[sói eterosekswál]

Je suis gay.
Soy gay / homo.
[sói géy]

Je suis lesbienne.
Soy lesbiana.
[sói lesbiána]

Je suis bisexuel (le).
Soy bisexual.
[sói bisekswál]

Est-ce que c'est ton ami, là-bas ?
¿ Aquél es tu amigo ?
[akél es toú amígo]

Lequel ?	*¿ Cuál ?*	[kwál]
le blond	*el rubio*	[el roúbio]
le roux	*el pelirrojo*	[el peliróHo]
le brun	*el moreno*	[el moreno]

Est-ce que tu prends un verre ?
¿ Tomás un trago ?
[tomás oún trágo]

Que veux-tu boire ?
¿ Qué querés beber ?
[ké kerés bebér]

Qu'est-ce que tu prends ?
¿ Qué vas a tomar ?
[ke bás a tómar]

De quel pays viens-tu ?
¿ De qué país vienes tú ?
[de ke pays biénes toú]

Es-tu ici en vacances ou pour le travail ?
¿ Estás aquí de vacaciones o por trabajo ?
[estás akí de bakasiónes o por trabáHo]

Que fais-tu dans la vie ?
¿ Qué hacés en la vida ?
[ke asés en la vída]

Habites-tu ici depuis longtemps ?
¿ Vives aquí desde hace tiempo ?
[bíbes akí désde áse tiémpo]

Ta famille vit-elle également ici ?
¿ Tu familia vive también aquí ?
[tou família bíbe tambíén akí]

As-tu des frères et sœurs ?
¿ Tienes hermanos ?
[tyénes ermános]

Est-ce que tu viens danser ?
¿ Vienes a bailar ?
[biénes a baylár]

Cherchons un endroit tranquille pour bavarder.
Busquemos un lugar tranquilo para charlar.
[bouskémos oún lougár trankílo pára tcharlár]

Tu es bien mignon(ne).
Eres muy lindo(a) / bonito(a) / hermoso(a).
[éres mwi líndo(a) / boníto(a) / hermóso(a)]

As-tu un ami (une amie) ?
¿ Tienes un amigo(a) ?
[tiénes oún amígo(a)]

Quel dommage !
¡ Que lástima !
[ke lástima]

Aimes-tu les hommes (les femmes) ?
¿ Te gustan los hombres (las mujeres) ?
[te goústan los ómbres / las mouHéres]

As-tu des enfants ?
¿ Tienes hijos ?
[tiénes íHos]

Pouvons-nous nous revoir demain soir ?
¿ Podemos volver a vernos mañana por la noche ?
[podémos bolbér a bérnos magnána por la nótche]

Quand pouvons-nous nous revoir ?
¿ Cuándo podemos volver a vernos ?
[kwándo podémos bolbér a bérnos]

J'aimerais t'inviter à dîner demain soir.
Me gustaría invitarte a comer mañana por la noche.
[me goustaría imbitárte a komér magnána por la nótche]

Viens-tu chez moi ?
¿ Vienes a mi casa ?
[byénes a mi kása]

Pouvons-nous aller chez toi ?
¿ Podemos ir a tu casa ?
[podémos ir a tou kása]

J'ai passé une excellente soirée avec toi.
He pasado una excelente noche contigo.
[he pasádo oúna ekselénte nótche kontígo]

> * L'expression *Voy a rumbear* signifie « Je vais en boîte » ;
> pour demander « Où est la fête ? », on dit *¿ Dónde es la
> Rumba ?* Le terme « boîte (de nuit) » peut varier selon le pays.
> On utilise généralement *discoteca*, mais en Colombie on peut
> entendre *salseadero*, et en Argentine *boliche*. *

ACHATS
IR DE COMPRAS

....

À quelle heure ouvrent les boutiques ?
¿ A qué hora abren las tiendas ?
[a ke óra ábren las tyéndas]

À quelle heure ferment les boutiques ?
¿ A qué hora cierran las tiendas ?
[a ke óra siéran las tyéndas]

Est-ce que les boutiques sont ouvertes aujourd'hui ?
¿ Las tiendas están abiertas hoy ?
[las tiéndas están abiértas óy]

À quelle heure fermez-vous ?
¿ A qué hora cierra usted ?
[a ke óra siéra ousté]

À quelle heure ouvrez-vous demain ?
¿ A qué hora abre usted mañana ?
[a ke óra ábre ousté magnána]

Avez-vous d'autres succursales ?
¿ Tiene usted otras sucursales ?
[tiéne ousté ótras soukoursáles]

Quel est le prix ?
¿ Cuál es el precio ?
[kwál es el présio]

Combien cela coûte-t-il ?
¿ Eso cuánto es (cuesta) ?
[éso kwánto es / kwésta]

En avez-vous des moins chers ?
¿ Tiene más baratos ?
[tiéne más barátos]

Je cherche une boutique de...
Busco una tienda de
[búsko oúna tyénda de...]

Où se trouve le supermarché le plus près d'ici ?
¿ Dónde se encuentra el supermercado más cercano ?
[dónde s:enkwéntra el soupermerkádo más serkáno]

centre commercial	centro comercial	[séntro komersiál]
marché	mercado	[merkádo]
boutique	tienda	[tyénda]
cadeau	regalo	[regálo]
carte postale	tarjeta postal	[tarHéta postál]
timbres	sellos / estampillas	[séyos / estampiyas]
vêtements	ropa / vestidos	[rópa / bestídos]

Différentes boutiques – *Varias tiendas*

Agent de voyages	agente de viaje	[aHénte de biáHe]

Je voudrais modifier ma date de retour.
Quisiera modificar mi fecha de regreso.
[kisiéra modifikár mi fétcha de regréso]

Je voudrais acheter un billet pour...
Quisiera comprar un billete para...
[kisiéra komprár oún biyéte pára...]

aliments naturels	alimentos naturales	[aliméntos natouráles]
appareils électroniques	aparatos electrónicos	[aparátos elektrónikos]

5 Commodités

Je voudrais une nouvelle pile pour...
Quisiera una pila nueva para...
[kisiéra oúna píla nwéba pára]

artisanat	*artesanía*	[artesanía]
boucherie	*carnicería*	[karnisería]
buanderie	*lavandería*	[labandería]
coiffeur	*peluquero*	[peloukéro]
disquaire	*tienda de discos*	[tyénda de dískos]

Avez-vous un disque de...
¿ Tiene un disco de ...
[tiéne oún dísko de...]

Quel est le plus récent disque de... ?
¿ Cuál es el disco más reciente de... ?
[kwál es el dísko más resiénte de...]

Est-ce que je peux l'écouter ?
¿ Lo puedo escuchar ?
[lo pwédo eskoutchár]

Pouvez-vous me dire qui chante ?
¿ Puede decirme quién canta ?
[pwéde desírme kién kánta]

Avez-vous un autre disque de... ?
¿ Tiene otro disco de... ?
[tiéne ótro dísko de...]

Équipement photographique	*Equipo de fotografía*	[ekípo de fotografía]
Équipement informatique	*Equipo de informática*	[ekípo de informátika]

Faites-vous les réparations?
¿ Hace reparaciones?
[áse reparasyónes ...]

Comment/où puis-je me brancher sur l'Internet?
¿ Cómo (dónde) puedo conectarme con Internet?
[kómo / dónde / pwédo konektárme kón internét]

équipement sportif	*equipo deportivo*	[ekípo deportíbo]
jouets	*juegos*	[Hwégos]
librairie	*librería*	[librería]
atlas routier	*libro de carreteras*	[libro de karetéras]
beau livre	*libro con ilustraciones*	[líbro con iloustrasiónes]
carte	*mapa*	[mápa]
carte plus précise	*mapa más preciso*	[mápa más presíso]
dictionnaire	*diccionario*	[diksionário]
guide	*guía*	[guía]
journaux	*diarios / periódicos*	[diários]
littérature	*literatura*	[literatoúra]
livre	*libro*	[líbro]
magazines	*revistas*	[rebístas]
poésie	*poesía*	[poesía]
répertoire des rues	*repertorio de calles*	[repertório de káyes]

Avez-vous des livres en français?
¿ Tiene libros en francés?
[tiéne líbros en fransés]

marché d'alimentation	*mercado de alimentos*	[merkádo de aliméntos]
marché d'artisanat	*mercado de artesanía*	[merkádo de artesanía]
marché public	*mercado público*	[merkádo poúbliko]
marchander	*regatear*	[regateár]

nettoyeur à sec	*lavado en seco*	[labádo en séko

Pouvez-vous laver et repasser cette chemise pour demain ?
¿ Puede lavar y planchar esta camisa para mañana ?
[pwéde lábar i plántchar ésta kamísa pára magnána]

oculiste	*oculista*	[okoulísta]

J'ai brisé mes lunettes.
Rompí mis gafas (espejuelos / lentes).
[rompí mís gáfas / espeHwélos / léntes]

Je voudrais faire remplacer mes lunettes.
Quisiera cambiar mis espejuelos (gafas).
[kisiéra kambiar mis espeHwélos / gáfas]

J'ai perdu mes lunettes.
Perdí mis espejuelos (gafas).
[perdí mis espeHwélos / gáfas]

J'ai perdu mes lentilles cornéennes.
Perdí mis lentes de contacto.
[perdí mis léntes de kontákto]

Voici mon ordonnance.
Esta es mi receta.
[ésta es mi reséta]

Je dois passer un nouvel examen de la vue.
Debo hacerme un nuevo examen de la vista.
[débo asérme oún nwébo eksámen de la bísta]

pharmacie	*farmacia*	[farmásia]
poissonnerie	*pescadería*	[peskadería]
produits de beauté	*productos de belleza*	[prodoúktos de beyésa]
quincaillerie	*quincallería / ferretería*	[kinkayería / feretería]
supermarché	*supermercado*	[soupermerkádo]

Pouvez-vous me faire un meilleur prix ?
¿ Puede hacerme un mejor precio ?
[pwéde asérme oún meHór présio]

Est-ce que vous acceptez les cartes de crédit ?
¿ Acepta tarjetas de crédito ?
[asépta tarHétas de krédito]

Vêtements – *Ropa*

vêtements d'enfants	*ropa para niños*	[rópa pára nígnos]
vêtements pour femmes	*ropa para mujeres*	[rópa pára mouHéres]
vêtements pour hommes	*ropa para hombres*	[rópa pára ómbres]
vêtements sport	*ropa deportiva*	[rópa deportíba]
anorak	*impermeable / chubasquero*	[impermeáble / tchoubaskéro]
caleçon boxeur	*calzoncillos / calzones*	[kalsonsíyos / kalsónes]

5 Commodités

casquette	*gorra*	[gó**rr**a]
ceinture	*cinto*	[sínto]
chapeau	*sombrero*	[sombréro]
chandail	*suéter / jersey*	[swéter / yérsi]
chaussettes	*medias*	[médias]
chaussures	*zapatos*	[sapátos]
chemise	*camisa*	[kamísa]
complet	*traje*	[tráHe]
coupe-vent	*impermeable*	[impermeáble]
cravate	*corbata*	[korbáta]
culotte	*blúmer / panti / calzones*	[blúmer / pánti / kalzónes]
jean	*jeans / vaqueros / tejanos / pitusa*	[yín / bakéros / teHános / pitoúsa]
jupe	*saya / falda / pollera (Panamá)*	[sáya / fálda / poyera]
maillot de bain	*traje de baño / bañador / trusa (Cuba)*	[tráHe de bágno / bagnadór / trúsa]
manteau	*abrigo*	[abrígo]
pantalon	*pantalón*	[pantalón]
peignoir	*bata de casa / de cuarto / de levantar*	[báta de kása / de lebantár]
pull	*jersey / pulóver*	[yérsi / poulóber]
robe	*vestido*	[bestído]
short	*pantalones cortos*	[pantalónes kórtos]

sous-vêtement	*ropa interior*	[rópa interiór]
soutien-gorge	*ajustador / sosten*	[aHoustadór / sostén]
tailleur	*traje / combinación*	[tráHe / kombinasyón]
t-shirt	*camiseta / pulover*	[kamiséta / poulóver]
veste	*chaqueta*	[tchakéta]
veston	*chaquetón*	[tchaketón]

✳ L'espagnol du Chili peut faire sourciller plus d'un voyageur non averti ! Son accent et ses expressions sont appelés « chilénismes ». Les dernières consonnes sont souvent aspirées et le débit est rapide, rendant parfois difficile la compréhension ! À la 2e personne du singulier des verbes en -*ar*, la terminaison *as* se prononce *ai*. Ainsi *¿ Como estas ?* devient *¿ Como estai ?* et *¿ Donde vas ?* se transforme en *¿ Donde vai ?*. Les Chiliens utilisent également à profusion le terme *¿ Cachaï ?*, qui veut simplement dire « *Tu comprends ?* ». ✳

5 Commodités

Est-ce que je peux l'essayer ?
¿ me lo puedo probar ?
[me lo pwédo probár]

Est-ce que je peux essayer une taille plus grande ?
¿ Puedo probarme una talla más grande ?
[pwédo probárme oúna táya más gránde]

Est-ce que je peux essayer une taille plus petite ?
¿ Puedo probarme una talla más pequeña ?
[pwédo probárme oúna táya más pekégna]

Est-ce que vous faites les rebords ? la retouche ?
¿ Hace los bordes ? ¿ los retoques ?
[áse los bórdes / los retókes]

Est-ce qu'il faut payer pour la retouche ?
¿ Hay que pagar por los retoques ?
[áy ke págar por los retókes]

Quand est-ce que ce sera prêt ?
¿ Para cuándo estará listo ?
[pára kwándo estára lísto]

En avez-vous des plus... ?
¿ Tiene más... ?
[tiéne más]

grands ?	*grandes ?*	[grándes]
petits ?	*pequeños ?*	[pekégnos]
larges ?	*anchos ?*	[ántchos]
légers ?	*ligeros ?*	[lihéros]
foncés ?	*oscuros ?*	[oskoúros]
clairs ?	*claros ?*	[kláros]
économiques ?	*económicos ?*	[ekonómikos]

amples ?	*amplios ?*	[ámplios]
serrés ?	*estrechos ?*	[estrétchos]
simples ?	*simples ?*	[símples]
souples ?	*suaves ?*	[swábes]

Tissus – *Telas*

acrylique	*acrílico*	[akríliko]
coton	*algodón*	[algodón]
laine	*lana*	[lána]
lin	*lino / hilo*	[líno / ílo]
polyester	*poliester*	[poliéster]
rayonne	*rayón (seda artificial)*	[rayón (séda artifisyál)]
soie	*seda*	[séda]

De quel tissu est-ce fait ?
¿ De qué material está hecho ?
[de ke materiál está étcho]

Est-ce que c'est 100% coton ?
¿ Es algodón 100 % ?
[es algodón sién por siénto]

RAPPORTS HUMAINS

VIE PROFESSIONNELLE
VIDA PROFESIONAL

....

Je vous présente...	*Le presento a...*	[le presénto a...]
Enchanté(e)	*Encantado(a)*	[enkantádo(a)]

J'aimerais avoir un rendez-vous avec le directeur.
Me gustaría tener una cita con el director.
[me goustaría tenér oúna síta kón el direktór]

Puis-je avoir le nom du directeur?
¿ Puede darme el nombre del director?
[pwéde dárme el nómbre del direktór]

Puis-je avoir le nom de la personne responsable...?
¿ Puede darme el nombre de la persona responsable...?
[pwéde dárme el nómbre de la persóna responsáble]

du marketing	*del marketing*	[del márketin]
des importations	*de las importaciones*	[de las importasiónes]
des exportations	*de las exportaciones*	[de las eksportasiónes]
des ventes	*de las ventas*	[de las béntas]

des achats	*de las compras*	[de las kómpras]
du personnel	*del personal*	[del personál]
de la comptabilité	*de la contabilidad*	[de la kontabilidá]
C'est urgent	*Es urgente*	[es ourHénte]

Je suis…, de la société…
Soy…, de la sociedad…
[sóy… de la sosiedá…]

Elle n'est pas ici en ce moment.
Ella no está aquí en este momento.
[éya no está akí en éste moménto]

Elle est sortie.
Ella salió.
[éya salió]

Quand sera-t-elle de retour?
¿Cuándo estará de regreso?
[kwándo estará de regréso]

Pouvez-vous lui demander de me rappeler?
¿Puede decirle que me llame?
[pwéde desírle ke me yáme]

Je suis de passage à México pour trois jours.
Estoy de pasada en México por tres días.
[estóy de pasáda en méhiko por trés días]

Je suis à l'hôtel… Vous pouvez me joindre au…, chambre…
Estoy en el hotel… Puede encontrarme en…, habitación…
[estóy en el otél Pwéde enkontrárme en… / abitasión…]

J'aimerais vous rencontrer brièvement pour vous présenter notre produit.
Me gustaría encontrarme un momento con usted para presentarle nuestro producto.
[me goustaría enkontrárme oún moménto kon ousté pára presentárle nwéstro prodoúkto]

J'aimerais vous rencontrer brièvement pour discuter d'un projet.
Me gustaría encontrarle un momento para discutir sobre un proyecto.
[me goustaría enkontrárle oún momento pára diskoutír sóbre oún proyékto]

Nous cherchons un distributeur pour...
Buscamos un distribuidor para...
[bouskámos oún distribwidór pára...]

Nous aimerions importer votre produit, le...
Nos gustaría importar su producto, el...
[nos goustaría importár soú prodoúkto el...]

* Au Mexique, l'expression *Ni modo* signifie « Ce n'est pas grave » ou « Tant pis ». En Colombie, cette expression signifie qu'il n'y a pas d'autre solution à une situation difficile. Au Venezuela, la même expression est *Qué va*. Alors, pour dire « Ce n'est pas grave », on utilise l'expression *No es grave* ou *No hay problema.* *

Les professions – *Las profesiones*

administrateur (administratrice)	*administrador(a)*	[administradór(a)]
agent de voyages	*agente de viajes*	[aHénte de biáHes]
agent de bord	*tripulante*	[tripoulánte]
architecte	*arquitecto(a)*	[arkitékto(a)]
artiste	*artista*	[artísta]
athlète	*atleta*	[atléta]
avocat(e)	*abogado(a)*	[abogádo(a)]
biologiste	*biólogo(a)*	[biólogo(a)]
chômeur(se)	*estoy sin trabajo / parado(a)*	[estói sin trabáHo / parádo(a)]
coiffeur(se)	*peluquero(a)*	[peloukéro(a)]
comptable	*contador(a)*	[kontadór(a)]
cuisinier(ère)	*cocinero(a)*	[kosinéro(a)]
dentiste	*dentista*	[dentísta]
designer	*diseñador(a)*	[diseñadór(a)]
diététicien(ne)	*dietetista*	[dietetísta]
directeur(trice)	*director(a)*	[direktór(a)]
écrivain(ne)	*escritor(a)*	[eskritór(a)]
éditeur(trice)	*editor(a)*	[editór(a)]
étudiant(e)	*estudiante*	[estoudiánte]
fonctionnaire	*funcionario(a)*	[founsionário(a)]
graphiste	*grafista*	[grafísta]

guide accompagnateur (accompagnatrice)	*guía acompañante*	[gía akompagnánte]
infirmier(ère)	*enfermero(a)*	[enferméro(a)]
informaticien(ne)	*informático(a)*	[informátiko(a)]
ingénieur(e)	*ingeniero(a)*	[inHeniéro(a)]
journaliste	*periodista*	[periodísta]
libraire	*librero(a)*	[libréro(a)]
mécanicien(ne)	*mecánico(a)*	[mekániko(a)]
médecin	*médico(a)*	[médiko(a)]
militaire	*militar*	[militár]
musicien(ne)	*músico(a)*	[moúsiko(a)]
ouvrier(ère)	*obrero(a)*	[obréro(a)]
photographe	*fotógrafo(a)*	[fotógrafo(a)]
pilote	*piloto*	[pilóto]
professeur(e)	*profesor(a)*	[profesór(a)]
psychologue	*psicólogo(a)*	[sikólogo(a)]
secrétaire	*secretario(a)*	[sekretário(a)]
serveur(euse)	*camarero(a)*	[kamaréro(a)]
technicien(ne)	*técnico(a)*	[tékniko(a)]
urbaniste	*urbanista*	[ourbanísta]
vendeur(euse)	*vendedor(a)*	[bendedór(a)]

Le domaine de... – *El campo de la...*

de l'édition	*de la edición*	[de la edision]
de la construction	*de la construcción*	[de la konstrouksión]
du design	*del diseño*	[del diségno]
de la restauration	*de la restauración*	[de la restaourasión]
du voyage	*de los viajes*	[de los biáHes]
de la santé	*de la salud*	[de la saloú]
du sport	*del deporte*	[del depórte]
de l'éducation	*de la educación*	[de la edoukasión]
manufacturier	*de la manufactura*	[de la manoufaktúra]
public	*del público*	[del poúbliko]
des télé-communications	*de las telecomunicaciones*	[de las telekomounikasiónes]
de l'électricité	*de la electricidad*	[de la elektrisidá]
du spectacle	*del espectáculo*	[del espektákoulo]
des médias	*de las comunicaciónes*	[de las komounikasiónes]
de la musique	*de la música*	[de la moúsika]

Études – *Estudios*

administration	*administración*	[administrasión]
architecture	*arquitectura*	[arkitektoúra]
art	*arte*	[árte]
biologie	*biología*	[biología]

comptabilité	*contabilidad*	[kontabilidá]
diététique	*dietética*	[dietétika]
droit	*derecho*	[derétcho]
environnement	*medio ambiente*	[médio ambiénte]
géographie	*geografía*	[Heografía]
graphisme	*grafismo*	[grafísmo]
histoire	*historia*	[istória]
informatique	*informática*	[informátika]
ingénierie	*ingeniería*	[inHeniería]
journalisme	*periodismo*	[periodísmo]
langues	*lenguas*	[léngwas]
littérature	*literatura*	[literatoúra]
médecine	*medicina*	[medisína]
nursing	*enfermería*	[enfermería]
psychologie	*psicología*	[sikolohía]
sciences politiques	*ciencias políticas*	[siénsias polítikas]
tourisme	*turismo*	[tourísmo]

Es-tu étudiant ?
¿ Eres estudiante ?
[éres estoudiánte]

Qu'étudies-tu ?
¿ Qué estudiás ?
[ke estoudiás]

FAMILLE
FAMILIA

frère	*hermano*	[ermáno]
sœur	*hermana*	[ermána]
mes frères et sœurs	*mis hermanos*	[mis ermános]
mère	*madre*	[mádre]
père	*padre*	[pádre]
fils	*hijo*	[íHo]
fille	*hija*	[íHa]
grand-mère	*abuela*	[abwéla]
grand-père	*abuelo*	[abwélo]
neveu	*sobrino*	[sobríno]
nièce	*sobrina*	[sobrína]
cousin	*primo*	[prímo]
cousine	*prima*	[príma]
beau-frère	*cuñado*	[kougnádo]
belle-sœur	*cuñada*	[kougnáda]

> ✳ En Colombie, pour faire référence à une fille, on dit *china* ; et pour un garçon, *chino* (soit exactement de la même façon qu'on appelle les habitants de la Chine !). Au Chili, on dit *cabra* pour les filles. Au Venezuela, c'est *chamo* pour les garçons et *chama* pour les filles. À Cuba, on dit *pipo* pour les garçons. ✳

SENSATIONS ET ÉMOTIONS
SENSACIONES Y EMOCIONES

J'ai faim.	*Tengo hambre.*	[téngo ámbre]
Nous avons faim.	*Tenemos hambre.*	[tenémos ámbre]
Il a faim.	*Él tiene hambre.*	[él tiéne ámbre]
Elle a faim.	*Ella tiene hambre.*	[éya tiéne ámbre]
J'ai soif.	*Tengo sed.*	[téngo se]
Je suis fatigué(e).	*Estoy cansado(a).*	[estóy kansádo(a)]
J'ai froid.	*Tengo frío.*	[téngo frío]
J'ai chaud.	*Tengo calor.*	[téngo kalór]
Je suis malade.	*Estoy enfermo(a).*	[estóy enférmo]
Je suis content(e).	*Estoy contento(a).*	[estóy konténto(a)]
Je suis heureux (heureuse).	*Soy feliz.*	[sóy felís]
Je suis satisfait(e).	*Estoy satisfecho(a).*	[estóy satisfétcho(a)]
Je suis désolé(e).	*Lo siento.*	[lo siénto(a)]
Je suis déçu(e).	*Estoy defraudado(a).*	[estóy defraoudádo(a)]
Je m'ennuie.	*Me aburro.*	[me aboúro]
J'en ai assez.	*Es suficiente.*	[es soufisiénte]
Je suis impatient(e) de...	*Estoy impaciente de...*	[estóy impasiénte de]
Je m'impatiente.	*Me impaciento.*	[me impasiénto]
Je suis curieux (curieuse) de...	*Tengo curiosidad de...*	[tengo kouriósidá de]
Je suis égaré(e).	*Estoy perdido(a).*	[estóy perdído(a)]

MOTS ESPAGNOLS

MOTS FRANÇAIS

NOTES

Nos distributeurs :

Canada
Guides de voyage Ulysse
4176, rue Saint-Denis
Montréal (Québec) H2W 2M5
T 514-843-9882, poste 2232
F 514-843-9448
info@ulysse.ca
www.guidesulysse.com

Belgique
Interforum Benelux
Fond Jean-Pâques, 6
1348 Louvain-la-Neuve
T 010 42 03 30
F 010 42 03 52

France
Interforum
3, allée de la Seine
94854 Ivry-sur-Seine Cedex
T 01 49 59 10 10
F 01 49 59 10 72

Suisse
Interforum Suisse
T (26) 460 80 60
F (26) 460 80 68

Pour tout autre pays, contactez
les Guides de voyage Ulysse
(Montréal).

Nos bureaux :

Canada
Guides de voyage Ulysse
4176, rue Saint-Denis, Montréal
(Québec) H2W 2M5
T 514-843-9447
F 514-843-9448
info@ulysse.ca
www.guidesulysse.com

Europe
Guides de voyage Ulysse, sarl
127, rue Amelot
75011 Paris, France
T 01 43 38 89 50
voyage@ulysse.ca
www.guidesulysse.com

LES QUESTIONS PRATIQUES

**Je cherche (la gare de trains/d'autobus,
le bureau de poste).**
Busco (la estación de trenes/de bus, el correo).
[búsko (la estasión de trénes/de bous, el koréo)]

**À quelle heure (part le dernier train pour...,
doit-on quitter la chambre, ferme le musée) ?**
*¿ A qué hora (sale el último tren para...,
se debe dejar la habitación, cierra el museo) ?*
[a ke óra (sále el óultimo trén pára...,
se débe deHár la:bitasión, siéra el mouséo)]

**Je voudrais (acheter un billet pour...,
voir la chambre, prendre un café, manger).**
*Quisiera (comprar un billete para...,
ver la habitación, tomar un café, comer).*
[kisiéra (komprár oún biyéte pára...,
ver la:bitasión, tómar oún kafé, komér)]

**Où peut-on trouver (un guichet automatique,
une pharmacie, un café Internet) ?**
*¿ Dónde se puede encontrar (un cajero
automático, una farmacia, un Internet Café) ?*
[dónde se pwéde enkontrár (oún kaHéro
aoutomátiko, oúna farmásia, oún internét kafé)]

**Avez-vous (un plan de la ville,
de l'eau minérale, une chambre libre) ?**
*¿ Tiene usted (un plano de la ciudad,
agua mineral, una habitación libre) ?*
[tiéne ousté (oún pláno de la sioudá,
ágwa minerál, oúna:bitasión líbre)]